JN006002

言語マイノリティを支える教育

【新装版】

ジム・カミンズ 著
Jim Cummins

中島和子 著訳
Kazuko Nakajima

明石書店

Educational Support for
Minority Language Children

＊本書は2011年6月に慶應大学出版会から刊行された『言語マイノリティを支える教育』を加筆・修正したうえで新装版としたものです。

新装版の刊行にあたり
複数言語環境で育つ年少者のために

2011年に誕生した『言語マイノリティを支える教育』は、今年で10年目という節目の年を迎える。これを機に明石書店のおかげで新装版の『言語マイノリティを支える教育』が世に問われることになった。これまでお世話になった慶應義塾大学出版会と、快く新装版の出版を引き受けてくださった明石書店に心から感謝の意を表したい。

旧著『言語マイノリティを支える教育』の背景には、ユネスコ国際母語デーに因んで行われたジム・カミンズ教授の講演会があった。2011年2月19日に大阪大学コンベンションセンターで盛大に行われた「越境する言語——複数言語環境の子どもたちのために教師ができること、行政がすべきこと」というテーマの逐次通訳つきの講演であった。私自身前座を仰せつかり、「カミンズ教授との出会い——日本の年少者言語教育と母語の重要性」という講演を行なっている。このカミンズ教授来日を機に出版されたのが『言語マイノリティを支える教育』である。カミンズ教授自薦の論文5つを和訳して掲載したものである。

今回の新装版も、2021年9月11日のカミンズ教授のズームによる講演会に合わせて出版されるものである。今回は私が会長を務めるバイリンガル・マルチリンガル子どもネット（BMCN）の年次大会で行われるもので、「現地語と継承語：複数言語環境で育つ子どもへの指導ストラテジー」というタイトルのもと、カミンズ教授提唱の「変革マルチリテラシーズ教育学（本書第4章）」を中心とする講演である。現地語である日本語の習得と、家庭で親が使う継承語（親の母語）とのせめぎあいで苦しむ言語マイノリティの年少者が、どうしたら低学力にならずに両言語を伸ばして日本に資するバイリンガル・マルチリンガルに育つかという理論的根拠とその指導アプローチを示唆するものである。

この10年間、外国人児童生徒など国内の複数言語環境で育つ年少者の環境には、どのような変化が見られたであろうか。特記すべき出来事は、2019年に制定された「日本語教育の推進に関する法律」であろう。この法律を追い風に、「変革マルチリテラシーズ教育学」が年少者の言語教育の現場で生かされるのは、まさにこれからである。本書が国内外の複数言語環境に生きる子どものたちの親や教師のために、少しでもお役に立てば幸いである。

2021年7月

中島和子

言語マイノリティを支える教育【新装版】

はじめに

カナダは年少者言語教育の宝庫です。英語系カナダ人児童・生徒のフランス語教育では1960年代にイマージョン方式を取り入れて、公用語である英語とフランス語のバイリンガルを人為的に育てることに成功していますし、また移住者の外国人児童・生徒対策では、40年以上にわたる知見の蓄積があります。すでに英語の特別指導を必要とする、移住者の子どものための幼児用、小中学生用、高校生用の教師用ガイドラインも出そろっていますし、移住者の外国人児童・生徒の学力達成においても５～７年もカナダにいれば、カナダ人児童・生徒を追い越す場合もあるというところまできています。このような年少者の言語教育の成功の背後には、現場教師の実践を支える言語教育理論が豊かであるという事実を見逃せません。そして、この分野で貢献した学者として筆頭にあげられるのがトロント大学大学院教授のジム・カミンズです。

ジム・カミンズは、過去40年にわたってバイリンガル教育理論の世界的権威として多くの業績を残してきました。日本でもよく引用されるBICS/CALP、氷山のたとえで知られる二言語共有説、相互依存説をはじめとして、これまで大きな影響を与えた領域は、バイリンガリズム、言語心理学、社会言語学、教育哲学、継承語教育、手話教育、異文化間教育、マルチリテラシーズ教育、IT教育、アセスメント、ろう児教育、特別支援教育、イマージョン教育、第二言語習得、英語教育と実に多岐にわたります。中でもマイノリティ言語児童に対する学校教育のあり方、教師の姿勢に関しては、他の追随を許さず、現在もなお現場教師との対話を通して新しい教育理念を次々に展開している現役の学者です。近年は成人学習者を含めた第二言語習得、英語教育における活躍も目覚ましく、言語心理学、教育社会学、教育学、政治学、社会学という幅広い学問領域を綜合して知見を述べる応用言語学者として大きな貢献をしています。

本書の主要部分である第1章から第4章は、2001年以降諸種のジャーナルや単行本の一部として掲載された論文を集めたものです。著者自撰による論文であるため、現時点でのカミンズ教授の教育理論を理解する上で貴重な資料と言えましょう。最終章である第5章は本書のために書き下ろしたものです。国内では、カミンズ理論が多くの研究論文に引用されているにも関わらず、日本語訳はわずか1970〜80年代の論文のものが数点あるだけで、本書のように近年の主要論文を集めて和訳したものは私の知る限りまだありません。この意味で本書が日本の言語教育に一石を投じる役割を果たすことを願って止みません。

本書が対象とする読者は、言語政策関係の専門家、言語教育研究者をはじめとして、大学院生、大学生、さらに現場の一般教師と広範囲にわたります。大学の講座や研修会のテキストとしても活用できるのではないかと思います。また外国人児童・生徒や帰国児童・生徒の受け入れに関わる教育行政、学校当局、そして学校教師、さらにボランティアとして課外でさまざまな支援に関わる日本語指導者、教科支援者にも参考になるものです。また国内のニーズもさることながら、海外で日本人および日系人児童・生徒の教育に関わる指導者、熱意のある保護者にも読んでいただきたいと思います。

日本人の子どもには国語教育と英語教育、外国人児童・生徒には日本語指導と教科指導という二重の二分化が進んで、それぞれ特化された領域で問題に対処するという傾向が日本にはありますが、本書はそうではなく、日本人児童・生徒も外国人児童・生徒も含むトータルな学校という教育現場で、教師の役割をする者が複数の言語・文化背景を持つ子ども（CLD：Culturally Linguistically Diverse Students）に対してどう対処すべきか、教師の姿勢、態度、あり方に加えて、学習者のアイデンティティの高揚と知的活動を高める具体的な方法について書かれたユニークな教育理論です。そしてその教師のあり方は、課外で行われる日本語支援、母語支援、学習支援に関わる指導者にも当てはまるものだと私は思います。

さらに本書の特徴のひとつはろう教育の論文が含まれていることです。バイリンガル教育の専門書にろう教育が含まれるのは最近の世界的動向ですが、日本ではまだ一般的とは言えないでしょう。ふたつの音声言語の組み合わせのバイリンガル育成と同時に、視覚言語（手話）と書記言語というモダリティの異なる二言語の組み合わせでバイリンガル育成を考えることは、バイリンガル教育理論の真価を問う試金石になります。どちらにも通用する理論でなければ理論として価値がないと言えるからです。また読者層にろう児教育に携わる行政、研究者、教師、保護者までを含むという点でも、日本の言語教育においてはきわめて画期的な企画ではないかと思います。

序章は、ジム・カミンズ教授の要請によって加えたものです。まずカミンズ教授の人となり、研究者、教育実践家としてのプロフィールを描くこと、1970 年代まで遡ってカミンズ理論の流れをまとめて本著で展開される現時点での理論と結びつけること、そして日本の年少者言語教育、特に国内の言語マイノリティを支える教育の現状と照らし合わせて、カミンズ教育理論がどのような接点を持ち得るのか、現場の教員や指導員や保護者にどのような意味があるのか、その意義づけを試みると同時に現場への活用のあり方を考察したものです。

本書の構成と内容

本書は、６つの章で構成され、それぞれの章の内容は次の通りです。

序章「カミンズ教育理論と日本の年少者言語教育」中島和子

序章は３部から成り、１は 1970 年から 1990 年にかけてトロント大学でジム・カミンズと協力して取り組んださまざまなプロジェクトの経験を踏まえて、カミンズ教授の学者としてのスタイル、人となり、その貢献を浮き彫りにしたものです。2は、カミンズの最新教育理念の前提となっているバイリンガル育成理論を、時系列に並べて背景知識として役立つように解説を加えたものです。3は、カミンズ教育理論の日本の教育に対するインパクトです。日本国内の外国人児童・生徒教育にとってどのような示唆があるかということはもちろんですが、「詰め込み教育」「ゆとり教育」そして「新学力観」へと大きく揺れ動く日本の教育行政全体にとって、カミンズ教育理論がどのような意味を持つかその意義づけをしたものです。

第1章「バイリンガル児の母語——なぜ教育上重要か」ジム・カミンズ

2001年にデンマークで行った講演をもとに、ジャーナル Sprogforum (Special Issue for Linguistic Diversity) に掲載された論文です。カミンズのホームページ上で公開されたものの中で、ダウンロードされた回数のもっとも多い論文だそうで、現在何カ国語にも訳されています。一般人向けの論文で、第一言語（母語）の重要性について平易な言葉で簡潔に、しかも重要なポイントを網羅して分かりやすく解説している点で、貴重な論文と言えるでしょう。

原著：Cummins, J. (2001, February). Bilingual children's mother tongue: Why is it important for education? *Sprogforum*, 7(19), 15-20.

第2章「カナダのフレンチイマージョンプログラム——40年の研究成果から学ぶもの」ジム・カミンズ

中国の上海の学会で行われた基調講演に加筆し、Yu & Yeoman (2009) の論文集に収録されたものです。40年の歴史を誇るカナダの英語とフランス語のイマージョン教育を振り返ると同時に、英語・中国語のバイリンガル教育の黎明期とも言える中国で、今後イマージョン教育に取り組む際に、直面するであろう課題とその指針について書かれたものです。日本の英語教育、外国語教育にも参考になるものです。

原著：Cummins, J. (2009). Canadian French immersion programs: What can we learn from 40 years of research? In L. Yu & E. Yeoman (Eds.). *Bilingual instruction in China: A global perspective* (pp.12-21). Shanghai: Foreign Language Teaching and Research Press.

第3章「マイノリティ言語児童・生徒の学力を支える言語心理学的・社会学的基盤」ジム・カミンズ

BICS/CALP、二言語基底共有説、言語相互依存説など、言語心理学的な立場からのバイリンガル育成研究で世界的権威としてカミンズは知られてきました。しかし、マイノリティ言語児童・生徒の教育達成には、社会学的な視点から低学力の要因を探る必要があるということで、心理的な要因と社会的な要因の両面から、マイノリティ言語児童・生徒の低学力の問題を分析したものです。国内の外国人児童・生徒問題に直接大きなインパクトのある論文と言えます。

原著：Cummins, J. (2009). Fundamental psychological and sociological principles underlying educational success for linguistic minority students. In T. Skutnabb-Kangas, R. Phillipson, A. K. Mohanty, & M. Panda (Eds.). *Social justice through multilingual education.* (pp.19-35). Bristol: Multilingual Matters.

第4章「変革的マルチリテラシーズ教育学——多言語・多文化背景の子ども（CLD）の学力をどう高めるか」ジム・カミンズ

カナダ全国の言語教育専門家と公立小中学校の現場教師との連携で行われたマルチリテラシーズプロジェクトの結果を集大成したものです。カミンズの最新の教育理論である「変革的マルチリテラシーズ教育学」を知る上で鍵となる論文です。多言語環境で育つ文化的、言語的に多様な背景を持つ子どもたち（CLD）のための教育とは何かを問うたもので、学校教育の現場で教師がどうあるべきか、CLDのリテラシーとの関わり、自己イメージを高める方法などについて具体的に書かれています。

原著：Cummins, J. (2009). Transformative Multiliteracies Pedagogy: School-based Strategies for Closing the Achievement Gap. *Multiple Voices for Ethnically Diverse Exceptional Learners*. Vol. 11, Number 2, 38-56.

第５章「理論と実践との対話——ろう児・難聴児の教育」ジム・カミンズ

前述したように本章は、本書のために書き下ろしたものです。ろう児・難聴児の教育をひとつのケースとして、第１章から第５章の内容を「理論と実践との対話」という形でまとめています。内容は、ろう児・難聴児の教育の歴史的経緯、その課題と論争、ろう児の低学力の原因、幼児期における言語体験の重要性、視覚言語である手話力と音声言語の読み書きの力との相互依存的関係、ろう児に対するバイリテラシー教育の重要性と、包括的かつ詳細な内容になっています。日本のろう児・難聴児の教育にも大きなインパクトを与える可能性があります。

原著：Cummins, J. (2011). A Dialogue between Theory and Practice: The Education of Deaf and Hard-of-Hearing Students.

2011 年５月

中島和子

言語マイノリティを支える教育【新装版】◎ 目次

序章

カミンズ教育理論と日本の年少者言語教育

Kazuko Nakajima

ジム・カミンズと言えば、BICSとCALPの区別や氷山にたとえた二言語共有説などを思い浮かべる方が多いでしょう。日本でも英語教育や日本語教育で知られるようになった言語能力の分析や二言語の関係に関する理論は、1970年代、80年代に提唱されたものです。本書は2001年以降に発表された論文を集めたものですから、「変革的マルチリテラシーズ教育学」が中心です。両者は一見大きく異なるため、カミンズ理論ががらりと変わって全く異質のものになってしまったのかと思われる読者も多いでしょう。実際はそうではなく、これまでの言語心理学を基盤としたバイリンガル教育理論に社会学的な知見を加え、さらに21世紀の情報社会の要請に応えて複数言語の育成を可能にする教育理論にまで発展させたものと見るべきでしょう。1990年代以降のカミンズは、多言語環境に置かれているマイノリティ言語児童・生徒の低学力を覆すための教育政策、学校教育のあり方、教師の姿勢、地域や保護者との関係にまで踏み込んでいるところに特徴があります。

序章は3部に分かれます。まず「**1. カミンズ教授との出合いとその後**」で私がカミンズ教授とどのように出合い、どのような調査やプロジェクトをいっしょに手がけたかということについて述べたいと思います。個人的なコンタクトを通した方がカミンズ教授の人となりや学者としてのあり方が浮かび上がるのではないかと思うからです。「**2. バイリンガル育成理論の流れ**」では「変革的マルチリテラシーズ教育学」の理解を助けるために、その背後にあるカミンズ提唱のバイリンガル教育理論を歴史的に追って概観しておきたいと思います。「**3. 日本の年少者言語教育とカミンズ教育理論**」はカミンズの教育理論が、現代日本の年少者言語教育、特に外国人児童・生徒教育にどのような意味があるのか、どのようなインパクトがあり、どのような示唆が与えられるのかということについて考えてみたいと思います。

グローバル化と国際結婚によるハイブリッド化が進んでいる現在、日本でも学校教育の現場が大きく変わり、日本人の子どもに加えて多種多様な文化的、言語的背景を持つ子ども（Culturally, Linguistically Diverse Students, CLD と呼ぶ）を受け入れざるを得ない状況にあります。CLD の言語力不足、学校文化不適応、不就学、高校進学率の低さなどが問題視されますが、日本の学校自体も学習指導要領の改訂、小学校英語教育の導入など、さまざまな課題を抱えています。中でも OECD 学習到達度調査（PISA）による日本人児童・生徒の読解力の低下が取りざたされる中、国際社会に通用する思考力、発表力、説明力に裏づけられた国語の力、外国語の力をどうしたら公教育の中で獲得できるのでしょうか。このような教育問題を日本人の子どもだけではなく、国内外の CLD 児も引っ括めて考える必要があるところに現代の特徴があると言えましょう。つまり、CLD 児を視座に入れた教育上の国家的な戦略が必要とされるということです。歴史的にも文化的にも言語的にも、ユニークな背景を持つ日本社会の課題に照らしてカミンズの理論を点検してみることは、カミンズ理論の今後のさらなる発展につながると同時に、日本の教育問題の打開策にもつながるところがあると思うからです。

1. カミンズ教授との出合いとその後

ジム・カミンズがトロント大学の教育大学院 Ontario Institute of Studies in Education（OISE）の Modern Language Centre（MLC）[1)]の客員教授に就任したのは1978年でした。当時私は、日本語教育専門家としてトロント大学東アジア研究科で1967年から教鞭を取っていました。いま振り返ってみると、カミンズが着任早々に会ったことになるのですが、そこには私にとって忘れられない出合いがありました。当時MLCのセンター長であったH.H. Stern教授は、年少者言語教育の世界的権威でしたから、この分野に特別な興味を持っていた私は、Stern 教授の授業を毎年聴講していました。私自身地域の日本語教育の実態がだんだん分かるようになり、トロント補習授業校の日本人児童・生徒を対象にバイリンガル力調査を考えていたときです。当時バイリンガル教育理論と言えば、英語とフランス語のようにインド・ヨーロッパ系言語の組み合わせがほとんどで、思考パターン、表記法、文法構造、文化的背景が異なる日本語のような言語との組み合わせで同じ理論が通用するかどうか疑問に思っていたのです。たまたまStern教授の研究室で調査の原案を見ていただいていたところ、ちょっと待っていなさいと言われました。そこにStern教授といっしょに現れた長身の青年こそ、世界的権威になる前のカミンズだったのです。「いっしょにやってみたらどうか」というStern教授のすすめで、「よろしく」と握手を交わしたのがいまでも忘れられない一瞬です。当時は新星のような存在であったカミンズは、なんと1978年から一連の補習校調査が終わる1986年の間に、著書5冊、論文41点、チャプター（章）35点という八面六臂の活躍でバイリンガル教育、継承語教育の世界的権威になっていたのです（Baker & Hornberger, 2001）。

(1) トロント補習授業校調査

その後研究資金の調達などに奔走した結果、トロント補習授業校調査（1979～1986）が始まりました。「第一言語と第二言語の発達上の関係についての研究」というテーマで、国語力と英語力の伸びの関係を読解力、語彙力、会話力の3領域で調べたものです。当時日本人児童・生徒はマイノリティであっても、最も教育的環境に恵まれたグループ、その反対の極にあったのがカナダが受け入れたベトナム難民児童・生徒でした。社会的格差のあるこの二つのグループを対象に調査が行われたのです。ご存じのように、補習授業校は月曜から金曜まではカナダの公立小学校で学び、土曜日1日、日本の文部科学省の学習指導要領に沿って1週間分の国語、算数、理科、社会科の学習をするというプログラムです。日本語を言語として学ぶのではなく日本語で4教科を学ぶということから両言語のリテラシーが伸ばせるため、英語と日本語の二言語の発達上の関係を調べるには最適のグループと言えます。結果としては、この補習校調査がカミンズのバイリンガル教育理論の中核をなすBICS-CALP説や二言語共有説／相互依存仮説の検証の役を果たし、理論的展開に大きな貢献をする結果になったのです（Cummins et al. 1981; カミンズ＆中島 1985）。

(2) 全国継承語リソースユニットの設立

カミンズ教授とのコラボレーションは、補習校調査が終わっても続きました。その一つがMLCの中に設置された国立継承語リソースユニット（National Heritage Language Resource Unit, NHLRU）です。継承語教育とは親が自分の母語・母文化を子どもに伝えること、子どもにとっては親から継承する言語を学ぶことです。カナダでは公用語である英語と仏語と

1）2010年より名称が変わり、現在はCERLL（Centre for Educational Research in Languages and Literacies）と呼ばれる。

先住民の言語以外、移民が持ち込んだ言語の総称として継承語という用語が使われています。NHLRU は、1970 年代に始まったカナダの継承語教育を推進するために連邦政府が資金を出して 1985 年に発足したもので、継承日本語を代表して私もセンターのさまざまな活動に参加していました。

当時カナダ東部の経済的主要都市であったオンタリオ州トロント市では、移住者児童・生徒が多いことから、州の教育省が幼児から中学 2 年生までを対象にした Heritage Language Program（HLP, 継承語プログラム）を連邦政府[2]とは別立てで始めました。この HLP は 1979 ～ 80 年になると、継承語の種類が 30 以上、7 万 6,000 人もの 4 歳から 14 歳までの児童・生徒が自由意志で参加する大きなプログラムになりました。移住者が集住するトロントのような大都会ではいまでは小学校 1 年の 75% 近くが家庭で継承語を使う子どもだと言われます。オンタリオ州の HLP はこのような CLD 児を対象に継承語を週 2 時間半、年間 80 時間教えるものです。そのために公立校の校舎の使用を許可、登録生徒数 25 人につき 1 人分の教師給与の配当、補助教材の現物給与、教育委員会主催の教師研修会の開催などの支援をしています。1980 年代に入ると、継承語教育に対して「移住者が持ち込む継承語はカナダの言語資源、経済資源、文化的資源」という斬新な意義づけがなされ、この概念が全国的に広まって、80 年代の半ばに継承語教育の最大の隆盛期を迎えるのです。この概念を提唱したのがカミンズですから、国立の継承語センターがカミンズの統括のもとに設置されたのは当然の流れだったと言えます（カミンズ・ダネシ 2005）。

センターの役割はニュースレターの発刊、各種継承語プロジェクトの立ち上げ、全国大会や国際会議を開催して言語間、地域間の連携をとるなど、多岐にわたるものでした。もっとも記憶に残っているのが、首都オタワで開かれた「継承語研究者会議」(1983) です。バイリンガル教育の父と言われる著名なマギル大学のランバート教授をはじめ、文化人類学、心理学、教育学、社会言語学、言語心理学等、多様な背景を持つカナダの学者が一堂に集まり、継承語研究について多角的な議論が行われたのです。継承語教育という領域は学際的な視点を必要とするものですから、異なった学問領域の専門家を早くから巻き込んだことがその後のカナダの継承語教育研究を豊かにした要因の一つではないかと思います。

カナダの継承語研究は、英仏バイリンガル研究の成果とは比較にならないほど数が少ないのですが、それだけに貴重なものです。中でも継承語教育の中核となる「言語資源」と「二言語の相互依存性」という二つの概念がいずれもカミンズ提唱のものであり、カミンズの貢献なしには継承語教育がここまで育たなかったことを思うと、あらためてカミンズの貢献の偉大さを感じます。第1章の「バイリンガル児の母語——なぜ教育上重要か」は、母語・継承語がいかに大事かというテーマについて実に分かりやすく簡潔にまとめたものですが、その背後には長年の母語・継承語に対する取り組みの積み上げがあり、それを基盤に書かれたものだということを指摘しておきたいと思います。

(3) 継承語作文プロジェクト (Heritage Language Writing Project)

継承語教育プロジェクトの一つにWriting the Right Wayという継承語作文プロジェクトがありました。いま振り返ってみると本書の第3章、第4章、第5章でカミンズが実践例として挙げる「アイデンティティ・テキスト」の前身と言えるものです。Graves (1993) の「プロセス重視のアプローチ」を踏まえて、書くプロセスをスモールステップに可視化するために特別なフォルダーを10カ国語で作製しました。そのねらいは「アイデンティティ・テキスト」とほぼ同じで、自分が書いた作文がワープロを使ってまるで印刷された本のようになることから、作文が自分を写し出す鏡の

2) 連邦政府は1971年に「二言語主義の枠組みの中での多文化主義」政策を発表、多文化主義政策担当大臣、多文化局を設置して民間の継承語プログラムの支援を始め、1988年に多文化主義法 (The Multiculturalism Act) という法律が制定された。

機能を果たし、作者である自分に対する誇り、達成感、自尊感情、継承語学習に対する前向きの姿勢を高揚できるというものです。またなるべく多くの読み手に読んでもらって前向きのフィードバックをもらうという読者を意識したアプローチ（audience-oriented approach）もアイデンティティ・テキストと共通しています。書くプロセスで、言葉や表現に詰まったら、もう一つの言語で表現してもよいというバイリンガルアプローチであること、仲間との読み合いを入れた協同作文教育という点も同じです。

ただ違う点は、アイデンティティ・テキストは、カミンズが作文という用語を一切使わずに「アイデンティティ・テキスト」と呼んだところです。つまり、マイノリティ言語児童のアイデンティティの高揚が目的の中核に据えられているということです。このプロジェクトは、ブリティッシュ・コロンビア大学とOISEの共同研究でカナダ学術振興財団の支援を受けて2000年の前半に始まったものですが、カミンズは、OISEの主任研究者として参画、トロント地区の多くの教員を動員して取り組んでいる実践かつ研究活動です（Early et al., 2002）。

「アイデンティティ・テキスト」というのは、児童・生徒の創作作品の総称で、複数の言語でさまざまなテクノロジーを駆使して行う、お話や詩、本、ポスター、ドラマ、口頭発表などの教室内での創作活動だとカミンズは定義しています。大事なポイントは、CLD児が英語（つまり学校言語）が未習得の状態であっても自分の「（心）の声」を教師やクラスメイトやその他大勢の聴衆に聞いてもらう機会が与えられること、教室の中で対等な立場で学習活動に参加するチャンスが生まれることです。最近見学したトロント市の小学4年生の授業では、カミンズ指導のもとに「アイデンティティ・テキスト」をESLと社会科のカリキュラムの一部に取り組み、ESLでは「自己紹介」、社会科では「カナダ各州の紹介」というテーマで互いに助け合って作ったパワーポイントの発表をしていました。1980年代は、日本語のワープロがやっと使用可能になった時代でしたが、いまはコンピュータ上で簡単に本ができ、絵や音を取り込み、英語に加えてファーシー語（継承語）の文章も添えてホームページに載せられるという、テクノロジーの長足の進歩がこのプロジェクトをより意味のあるものにしているように思いました。

(4) ネットワークづくりとコンピュータプログラム 'e-Lective text' の開発

当時 NHLRU のニューズレターに姉妹校との交流によって形成されるグローバルビレッジの記事が載るようになりました。その先駆けとなったのがカミンズの論文です(Cummins 1986)。その後、ネットワークを介した子どもの協働学習プロジェクトが大きく発展、7 年後には *Brave New Schools: Challenging Cultural Illiteracy*（Cummins 1995)、20 年後にはすばらしい実践の数々がつまった *Literacy, Technology, and Diversity: Teaching for Success in Changing Times*（Cummins et al, 2007)に集大成されていきました。

いくつか例を挙げると、まず「いちごプロジェクト」は、批判的探求型アプローチ（collaborative critical inquiry）のプロジェクトで、カルフォルニア州の小学校 3 ～ 5 年生が地域の農家や移住者が経営するいちごの栽培・生産過程をインターネットやインタビューを通して調べ、メールを通してインドのいちご栽培やプエルトリコのコーヒーの栽培との比較をしたものです（Cummins et al., 2007, pp.128-147)。また中学生のプロジェクトの例としては、地域の文化的背景が異なる住民のオーラルヒストリーを集め、それをビデオに収録して作ったドキュメンタリーもあります（同上 pp.148-166)。さらに小学校の児童全員が参加した多言語辞書づくりプロジェクトもあります。スペイン語と英語で学習する二重言語プログラムの子どもたちが、スペイン語の母語話者児童と英語の母語話者児童がペアになってバイリンガルの辞書を作ったのです。必要な説明を加えたり、絵を加えたり、ウエッブ上の情報源にリンクしたりして、事典としての役割も果たすようになったそうです（同上 pp.184-194)。

本書の第4章に変革的マルチリテラシーズ教育学の説明がありますが、カミンズは図8（p.127）で3つの学びが入れ子型に重なってそれぞれの学びに特有の役割があると言っています。3つの学びとは「知識授与・伝達的学び」「社会構築主義的学び」「変革教育学的学び」で、「知識授与・伝達的学び」は基礎知識を体系的に教えること、「社会構築主義的学び」は教師と学習者の話し合いによって高度の思考力を育てること、「変革教育学的学び」は、現実の社会の力関係を分析して実践を通して課題に挑戦する姿勢を育てることです。前節であげた初めの二つのプロジェクトは「変革教育学的学び」に位置づけられるものです。マイノリティ児童・生徒の教育では、基礎学力が低いということから、ドリルや練習問題を繰り返しやらされる傾向が国内外にありますが、これはカミンズのいう伝統的な知識授与型の学びの一部です。この学びも大事ですが、同時に現社会の実情に密着したプロジェクトに参加し、母語を活用して意味のある交流を可能にすることはアイデンティティの高揚において大きな貢献をしますし（変革教育学的学びの一部）、また異なった視点をぶつけ合うことによって批判的思考力を高めることにもつながるというのです（社会構築主義的学びの一部）。

この間カミンズは自ら、ESL児の読みの力を強化するための辞書つき英語読解ツールの開発に取りかかり、実際にそのプログラムが e-Lective Language Learning として現在市販されています（Cummins 1998）。また1999年にトロント大学で開催した「日本語教育とコンピュータ」という国際会議の基調講演でも「コンピュータテクノロジーとリテラシー教育」という演題で e-Lective について述べています（Nakajima, K. (ed.) 2002, pp.105-122）。

カミンズが e-Lective text の開発を始めたころ、時代の流れに沿って私自身も「漢字カード」というマッキントッシュのハイパーカードを使用した漢字自習用ソフトの開発に取り組んでいました。と同時に、東アジア研究科の継承日本語作文コースにネットワークを組み合わせて、東京大学の教養学部の英語学習者（英語で書く）とトロント大学の日本語学習者（日本語で書く）の間でバイリンガル作文交流プログラムを始めました。海外の大学で日本語を学習しても日本に留学できるのはほんの数名です。メールや作文を通しての同年齢の大学生とのじかの交流は、日本留学の疑似体験になりますし、ステレオタイプの日本観をぶち破るのにも役に立ちます。そして創作作文を通して、カミンズが主張しているように、継承語に対するイメージが変わり、継承語学習に対して主体的、積極的な姿勢に変わるなど、普通の講義中心の授業では得られない文化的、知的刺激を与えることができたのです（中島 1993）。

カミンズは、テクノロジーは教育の主役ではなく、あくまでも補助的役割をするものと位置づけています。ただ「学校の中で、社会の主要言語で書かれた教科書を基盤とした単線のリテラシーのみに焦点を当てるのは極めて限界のある指導方針であり、それだけでは高度のテクノロジーに裏づけられた知識基盤社会の課題に応えられない」（p.133）と第 4 章で言っています。また学校教育で児童・生徒の複数言語リテラシーや情報技術ベースのリテラシーが一切認められていないという批判をしていますが、日本の現状、特に外国人児童・生徒のことを考えると耳の痛いところです。

以上、私個人の接点を通して、全国継承語リソースユニットを中心とするカミンズの取り組みの流れと、間接的に日本語教育にもたらした影響の一端を垣間みたのですが、20 何カ国以上の言語を対象とした全国継承語リソースユニットが、どんなにマイノリティ言語児童・生徒の教育に大きなインパクトを与えたかを想像していただけるのではないかと思います。

(5) 教師をエンパワーするカミンズ教授の存在

1980 年後半と言えば、バブルが崩壊して「失われた 10 年」と言われる 90 年代に突入する時期です。世界的経済恐慌の影響からカナダも逃れることが出来ず、財政赤字のために「小さい政府」が目標とされ、教育の分野でもいかに少ない予算で最大の効果を挙げるかが中心課題になりました。時代の要請である新しいITの学校教育への導入と重なって、人々の関心と注目を引かなくなった分野の一つが継承語教育と言えるでしょう。残念なことに全国継承語リソースユニットも短命に終わり、継承語教育が長い停滞期を迎えることになります。1990年には連邦政府の継承語プログラムの支援が打ち切られ、1993年にはオンタリオ州政府が「継承語教育」という呼称をやめて、継承語プログラムが小学校の外国語教育である「国際語教育（international languages）」の一部に組み込まれることになりました。しかし毎年33万人の移住者を受け入れ、その移住者の母語維持が「多文化主義法」（Multiculturalism Act）で守られているカナダのことですから、保護者や民族集団が25人集まって申請を出せば地域の教育委員会が継承語保持・伸張プログラムを提供せざるを得ない状況に変わりはなく、2005年の調査でもオンタリオ州の継承語の数が60以上、参加児童・生徒数約10万人、2008年も同じく言語数60以上、プログラム数557とまだまだカナダの継承語教育は、健在と言えます（中島2010）。

私自身は2002年から名古屋外国語大学で5年間教鞭をとることになり、その間国内の外国人児童・生徒の状況について多くのことを学びました。その経験を踏まえてトロントに戻って再度マイノリティ児童・生徒の状況を見たときに、改めて気づいたことが多々あります。第一はこれまでの継承語教育に関する論点が、学校の正課の中に組み込まれた継承語教育の是非でしたが、移住者が集住する大都会の公立小中学校では、あまりにも継承語の言語数が多いため、継承語プログラムを学校教育の一部として取り込むことが不可能であるという状況です。そのため在籍学級の中で継承語を使用する機会を作り、継承語への気づきや学習意欲を高めるという方向に行かざるを得ないのです。つまり、アイデンティティ・テキストのアプローチが必要だということです。私が見学したThorncliffe Park Public Schoolという小学校も、移住者児童・生徒が99%、継承語の数が200以上という学校でした。授業で母語使用が奨励され、母語、母文化の価値の吊り上げが十分なされていましたが、母語そのものの教育は家庭の中の親の努力と週末の国際語／継承語プログラムに頼るという状況です。

第二は移住者児童・生徒の母語に対する行政の姿勢です。一例をあげると、トロント地区教育委員会が 保護者の啓蒙のため作成したCDに「家庭言語は学力達成の基礎（Your Home Language: Foundation for Success, 2007）」というのがありますが、これは母語の重要性を具体的に示し、母語で本の読み聞かせをすることがいかに大事かということをそれぞれの言語の置かれた状況に即して12カ国語で作ったものです（http://www.edu.gov.on.ca/abc123/、無料でダウンロード可）。また、外国人児童・生徒の受け入れのための教師用ガイドインも高校用、幼児用、一般教師用、ESL教師用と揃っており、その中でCLD児の母語を知的ツールとして使用することの重要性が一貫して強調されています。特に一般教師のためのESLガイドラインには、外国人生徒が自分の教室に突如現れたときに教師にできること、学校がすべきことなどが丁寧に書かれています（中島 2010: 84-87）。

第三は、エンパワーされた教師集団づくりにカミンズが大きな貢献していることです。OISEは現場教師の再教育をするところですから、現場教師とのコンタクトが多いのは当然ですが、ESLコーディネーター、アイデンティティ・テキストの指導に当たる教師たち、州立のろう学校の校長や教師など、カミンズの信奉者がいたるところにいるのです。 エンパワーされた教師像とはこのようなものかと思われるほど、自信を持って実践に取り組んでいる大勢の教師に出会いました。学者として世界的権威になることと、地元の現場教師のパワーやエネルギーの源泉になることとはなかなか両立しにくいものですが、カミンズの異文化に対する鋭い洞察力とマイノリティ児童・生徒に対する熱い思いと揺れることのない一貫した前向きの姿勢によってそれが可能になっているのだと思います。カミンズは、教師の主体的な働きを教育理論の中核に据え、教師と子どもとのインターパーソナルな空間における対話のあり方次第で、子どもをエンパワーしたり、逆に学習から遠ざけてしまう結果になったりすると言っています。子どもをエンパワーする教育理念は現場教師のエンパワーメントにも繋がるものなのでしょう。

2. バイリンガル育成理論からマルチリンガル教育学へ

カミンズのバイリンガル育成理論の流れを振り返ってみると、その端緒となったのが Working Papers on Bilingualism というゲラ刷りの冊子に投稿された論文でした。当時は、バイリンガリズムとかバイリンガル教育とかいう分野がまだ確立しておらず、論文を発表する学会もジャーナルもないという状況でした。そこで MLC がその空白を埋めるために 1973 年に冊子の刊行を始め、1979 年にはこの分野が十分発展したため必要がなくなったということで廃刊になっています。その後、BICS/CALP 説、二言語相互依存説となって世に問われたのが米国の *Review of Educational Research* に出た論文（1979）です。さらにまた、その後 10 年の年月を経て 1991 年には、二言語相互依存説に関する実証的研究の総括的なまとめの論文を発表しています（Cummins 1991）。

外国人児童・生徒の言語能力をどう見るか、またどう測定し評価するかということは、日本の年少者言語教育の大きな課題ですが、カミンズの言語能力の分析は、この課題に多くの示唆を与えてくれます。英語教育でも日本語教育でも日本では話す、聞く、読む、書くの 4 技能で言語能力を分析するのが従来のあり方ですが、カミンズはそれとは全く異なる分析をしています。この言語能力の分析は、カミンズのバイリンガル教育理論の中で一番変化が大きかった領域ですので、(1)「BICS/CALP」、(2)「場面依存度と認知要求度による 4 領域」、(3)「会話の流暢度 / 弁別的言語能力 / 教科学習言語能力」に分けて、詳しくその経緯を説明しておきたいと思います。

(1) 言語能力の内部構造——BICS と CALP

マイノリティ言語児童・生徒が第二言語を習得するのに必要な時間が言語の面によって異なることに注目して、カミンズは、2 年もあれば習得可能な対人関係におけるコミュニケーションの力（Basic Interpersonal Communicative Skills, BICS）と、少なくとも5～7年はかかる教科学習に必要な認知・教科学習言語能力（Cognitive Academic Language Proficiency, CALP）とに分けました。この区分はトロント教育局の移住者児童・生徒の大規模調査のデータを再分析した結果得られたものですが、その概念はスクットナブ＝カンガスが提唱したものだと言っています。

スクットナブ＝カンガスは、スウェーデンに移住したフィンランド人の子どものフィンランド語（L1）とスウェーデン語（L2）の発達を調べ、10～12歳で移住した子どもは、L1も学年レベルの力を維持することが可能であり、L2もスウェーデンの学年レベルに達することが出来たが、10歳以前に移住した子どもや現地生れの子どもは、どちらの言語も低レベルに留まる傾向が見られたというのです。つまり、母語がしっかりしてから移動した場合は、母語の上に現地語が加わって両言語に堪能な「加算的バイリンガル」が育つが、母語が未発達なまま移動した場合は母語の継続的な発達が難しく、また現地語も十分に育たないため引き算になり（つまり母語を失い）「減算的バイリンガル」になって現地語しかできないモノリンガルになる傾向があるということです。またその中にはどちらの言語も学年レベルに達しないために学習困難を伴うダブルリミテッドになる場合もあります。

一般教師や特別支援教育の教師が子どもがL2を流暢に話すようになると、もうその言語が習得されたと誤解して、CALP面の未発達を見逃しがちですが、それは教育上子どもに大きな害を与えるものだとカミンズは警鐘を鳴らしています。

(2) 場面依存度と認知要求度による4領域

その後、BICS/CALPという概念が二項対立であるために誤解を生みやすいということで、1980年ごろから図1に示したように、言語活動を「認知力必要度」と「場面依存度」という二つの軸で分析する4象限モデルに移行していきました。

縦軸はどのぐらい認知力を必要とするか、横軸はどのぐらい場面の支援（ジェスチャーや、顔の表情や、指差しや動作など）があるか、つまり場面にどのくらい依存できるかということです。領域Ａは、場面の助けがあって言葉を使わなくても意味が通じるもので、高度の認知力を必要としないサバイバルレベルの会話力と言えるでしょう。たとえば、地図を示して道順を聞く、店で指でさすだけで物を買う、というような状況です。領域Ｂは、場面の助けはあるが認知力の必要度も高い言語活動で、たとえば視覚教材を活用した分かりやすい教科の授業とか、実験を中心にした理科の授業などがその例です。領域Ｃは、認知力必要度は低く場面の支援の少ない言語活動で、たとえば買い物リストを作るとか、教師の板書をノートに写すとか、ドリルをするとか、簡単なメモを書くとかがその例です。領域Ｄは、場面の助けがなく、しかも高度な認知力を必要とする言語活動で、たとえば本を読む、レポートを書く、口頭発表をする、など教科に関わる学習活動がほとんどこの領域に属します。習得に必要な時間も４つの領域によって異なり、領域Ａのサバイバルレベルの対話力は１～２年で習得可能ですが、領域Ｄの習得には、母語で学校経験のある８歳以降に入国した場合

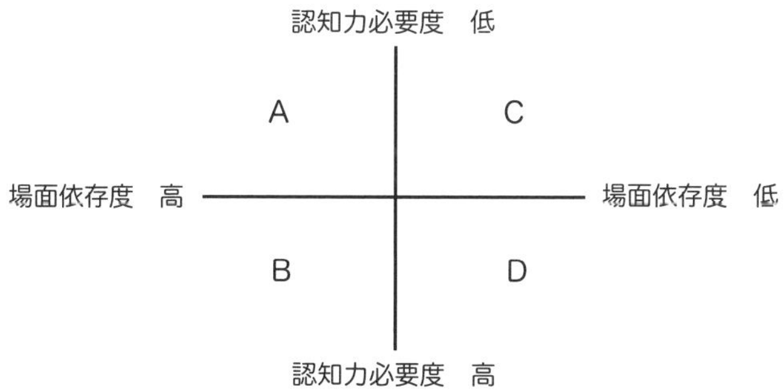

図１　認知力必要度と場面依存度で分析した言語活動の４領域（Cummins & Swain 1986）

は5～7年、現地生まれも含めて8歳以前に入国した場合は7～10年の年月が必要だとカミンズは言っています。

では、なぜBICS/CALPから認知力必要度（縦軸）と場面依存度（横軸）に変わったのでしょうか。カミンズはいくつかその理由をあげています。たとえば、BICS/CALPが移住者児童・生徒の学校教育という文脈を離れて言語能力一般の区分として拡大解釈されるようになったこと、習得の順序がBICSが先行しCALPがそれに続くと考えられる傾向があること、両者の獲得の過程が全く関係なく独立して起こるものと誤解されたり、CALPの方がBICSより高度な力であると誤解されたりすること、などです。たとえば、幼児のようにBICSと同時にCALPの基礎概念を周囲の大人とのやりとりを通して習得していくこともあるし、大学院の留学生のように専門分野の英語、つまりCALP面は理解できても、日常会話の力BICS面はまるでだめ、というケースもよくあるものだと言っています。

(3) 会話の流暢度 / 弁別的言語能力 / 教科学習言語能力

第3章に詳しい説明がありますが、1990年代になると言語能力の内部構造を、①会話の流暢度、②弁別的言語能力、③教科学習言語能力の三面に分類するようになります。

会話の流暢度（Conversational Fluency, CF）は、「よく馴れている場面で相手と対面して会話する力」であり、母語話者児童の場合2～8歳ぐらいまでの間に習得されるものです。会話でよく使われるのは頻度数の高い語彙と簡単な文構造ですから、学習者が学校や周囲の環境を通してその言語を使用する機会が十分あれば､1年ないし2年で獲得できるものだと言っています。これは従来のBICSに相当するものです。

弁別的言語能力（Discrete Language Skills, DLS）は、これまでは

CALPの中に組み込まれていた文字の習得とか、基本文型の習得など、ルール化ができて個別に測定可能な言語技能のことです。スキルそれぞれによって習得に必要な時間が異なりますが、母語話者と同じぐらいの速度で習得が可能であるものもあるため、5～7年もかかるCALP面とは別建てにしたと言っています。確かに日本語でも平仮名やカタカナの習得は1～2年で可能です。しかし漢字の習得となると問題が異なり、1～2年しかかからない初歩的な漢字学習はDLS、抽象概念を表す漢字語彙や漢熟語はALPと、二面にわたった力と考える必要があるでしょう。読みの力も同じで、文字の解読や単語や文節レベルの読みはDLSですが、読解力や読解ストラテジーはALPの領域に入ります。

教科学習言語能力（Academic Language Proficiency, ALP）は、これまでのCALPと同じで、習得に長時間がかかる読解力、作文力、発表力、応用力などです。カミンズは「教科学習言語」を定義して「学校という文脈で効果的に機能するために必要な一般的な教科知識とメタ認知ストラテジーを伴った言語知識」と言っています。変革的マルチリテラシーズ教育学は、複数の言語で高度の教科学習言語能力の獲得を目指すものであり、「マルチリンガル環境におけるリテラシー獲得の教育的枠組み」（第3章と第5章、短くして「リテラシー関わり度の枠組み」と呼ぶ）と「リテラシー達成度の枠組み」（第4章）という二つの枠組みで指導上の方策を示しています。特にリテラシーとの関わり（Literacy Engagement）という用語を使って読書の量と幅、読みストラテジー、読書に対する態度と姿勢と読書習慣、そして多読、多書（多読にもじって、書く量が多いことを意味する）の必要性を強調しています。

どうしてBICS/CALPからCF/DLS/ALPへ変更する必要があったかということですが、カミンズはその理由の一つが米国の教育事情だと言っています。現行の「落ちこぼれ防止法」、フォニックスを中心とする「Reading First」という読みのプログラム、州標準テストの縛り、読みの力の研究方法などを鋭く批判しているのですが、その理由は政策面でも実践面でもまた評価面でも、DLSが中心で、ALPの一部である大事な読解力や読解ストラテジーの育成に焦点が当てられていないため、DLSとALPを区分して示すことが必要になったということです。国内の外国人児童・生徒教育でも重点がDLSに偏重する傾向があるので、この二つの領域を分けて考える方が確かにプラスの面が多いと私も思います。

(4) 二言語の関係——CUP/SUP説、共有説（氷山説）、相互依存説

バイリンガル児が習得する二言語の力は、どのような関係を持ちながら発達していくのでしょうか。カミンズはバイリンガルの二言語に共有面があって一つの言語による教科学習で得た知識や学力は、もう一つの言語による学習でもアクセス可能であり、その言語での教科学習にも役立つという考え方をしています。歴史的に見ると、二つの言語は全く関係がないという立場とカミンズのように別個の言語ではあるが深層面に共有面があるという立場がありました。この二つの立場を対比して図2に示しています。

分離基底能力モデル（SUP）

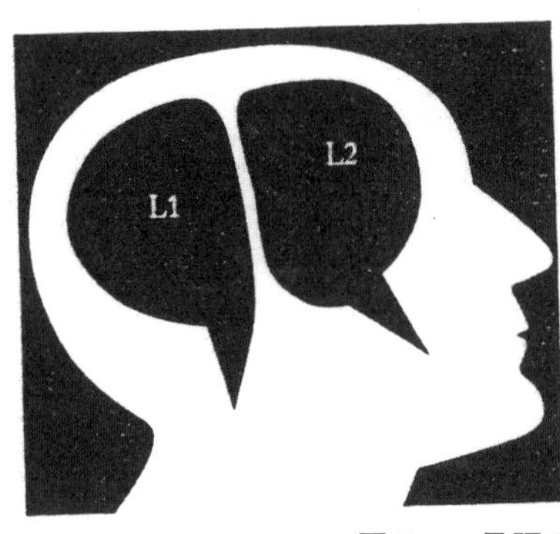

共有基底能力モデル（CUP）

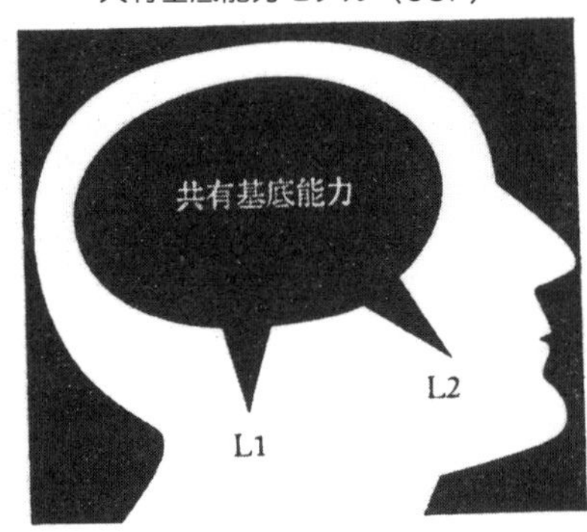

図2　二言語の分離説と共有説

左は分離基底能力モデル（Separate Underlying Proficiency, SUP）、右は共有基底能力モデル（Common Underlying Proficiency, CUP）で、省略してCUP／SUP説、あるいは共有説／分離説とも呼んでいます。ここで大事なことは、分離説を支持する調査研究はこれまでほとんどないのに対して、共有説を支持する研究は圧倒的に多く、その数は150点近くに及ぶと言うことです。前述のトロント補習授業校調査もその一つで、言語差が大きい日本語と英語、ベトナム語と英語というような二言語の組み合わせでも、共有説を支持する結果が得られたのです。

では、共有面とは一体何かということですが、当初は「思考タンク説」と呼んで思考力と関係がある言語能力という定義をしていました。いまでは、図3のような氷山のたとえを使って表層面では別個の二言語、深層面では共有面があることを示しています。例としてカミンズは、日本語でいま何時か言える子どもは時間の概念をすでに理解しているため、L2（学校言語）で再度時間の概念を習う必要はなく、すでに学習済みの知的スキルを表すのに必要な新しいラベル、つまり「表層面の言語能力」を学べばいいのだと言っています（第1章）。またL2（たとえば英語）で文が読めるようになるということは、英語の読みの習得と同時に読むというメタ言語能力も習得するため、その力がL1（たとえば日本語）の文字や読みの習得を助けるというのです。

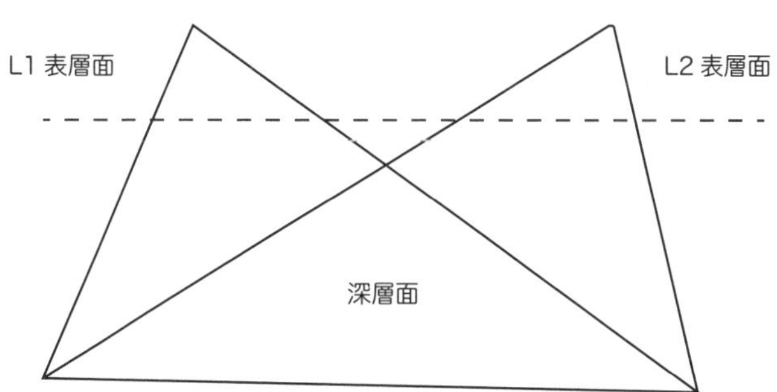

図3　氷山にたとえた言語の表層面と深層面（Cummins & Swain 1986）

次に転移が起こるのはどこか、いつかという問題ですが、第2章に転移が起こる5つの領域をあげています。簡単にまとめると転移があることが実証されている主な領域は、対話ストラテジー（CF）、音韻意識（DLS）、概念的知識とメタ認知ストラテジー（ALP）です。そして、マルチリンガル環境に育つ児童・生徒には、このような転移を促進するような指導法が望ましいと言っています。どのぐらいの時間をかけて転移が起こるかということに関しては、まだ分からない点が多くこれからの研究が待たれるところです。

2000年になると二言語の相互依存的関係が過去40年にわたるさまざまな研究で圧倒的な支持を得ており、言語政策上もっとも役に立つ概念だということを強調するようになります。その関係は、以下のようなさまざまな組み合わせ、さまざまな状況で実証されているというのです。社会・政治的状況（主流派か少数派か）、言語領域（会話力、読解、語彙、作文、記憶力など）、年齢（年長児か年少児か）、学習環境（自然習得か教師主導型か）、横断的・縦断的研究でも、ろう児の手話（視覚言語）と日本語（音声／書記言語）というモダリティの異なる二言語間でも相互依存的関係が見られ、日本語の読み書きを獲得するためには幼児期からの手話の発達が必要不可欠だと言っています（第5章）。

さらに指導法でも、転移が自動的に必ず起こるものではないため、「人為的に転移を促進する「バイリンガルアプローチ」を推奨しています。特にマイノリティ児童・生徒の場合は、母語で教科学習をすることの重要性を次のように述べています。

> 英仏イマージョンや英語とスペイン語のバイリンガルプログラムのように、二言語間に同根語が多く、また家庭でL1のリテラシーの補強が十分ある場合には、自然に、また自動的に転移が起こる可能性がかなり高いが、そうではない状況で異言語間の転移の恩恵を受けるためには、目標言語（つまりL1で）きちんと教科学習をすること（formal

education）が必要である（Cummins 2007a）。

国内の外国人児童・生徒教育では、母語支援はあっても母語できちんと教科学習をする機会はほとんどありません。このような母語を視野に入れた行政の取り組みも、また二言語の相互依存性に留意した指導法を模索する取り組みも、これからの日本の大きな課題と言えるでしょう。

(5) エンパワーメント理論

多言語環境で育つマイノリティ児童・生徒が抱える低学力や学習困難の問題は、バイリンガル教育理論だけでは解決できず、社会的な力関係と結びつけた視点がどうしても必要だということで1980年代の半ばごろから提唱されたのが、カミンズの「エンパワーメント理論」です。当時の批判的教育学の影響を受けたものですが、2000年の半ばになるとそれに社会構築主義的視点が加わって、平等な社会の実現への変革を視野に含めた「変革的マルチリテラシーズ教育学」へと発展していきます。

エンパワーメントに関する主要論文が Harvard Educational Review に掲載されたのは1986年で、これが大きな反響を呼び、1991年～2000年でもっとも貢献度の高かった論文として同誌のクラシック・シリーズ（Classic Series）に選ばれたほどです。カミンズは、エンパワーメントを「力を共に創りだすこと」（collaborative creation of power）と定義し、エンパワーメント理論とは、「抑圧的社会」（coercive society）から「協働的社会」（collaborative society）への変革を視野に入れたマイノリティ児童・生徒をエンパワーする枠組みだと言っています。学校という場には、社会一般の人間関係がそのまま投影されるもので、マイノリティ児童・生徒が少数派の弱者の立場、つまり従属的少数派グループに置かれていれば、学校でも同じように弱者の立場に追いやられ、言語障害、学習困難、低学力など何らかの障害を持った子どもと認知されるのが普通です。第5章にも母語・

社会的状況

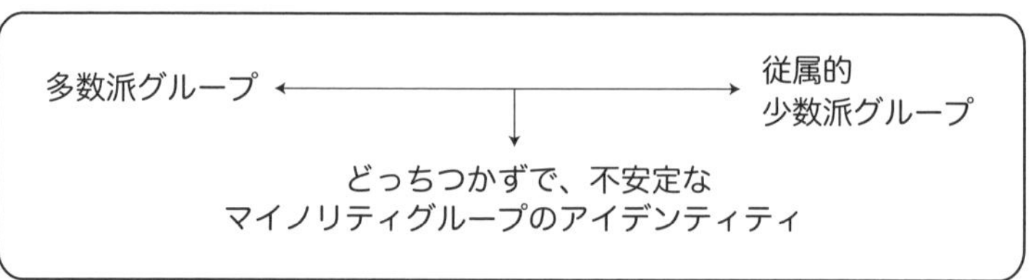

教育的状況

教育者の役割の定義

	多文化共生	同化主義
文化・言語の統合	加算的	減算的
コミュニティの参加	協働的	排他的
教授アプローチ	交流・実体験・批判分析型	知識授与型
評価	体制批判的	体制肯定的
	→エンパワーされた 児童・生徒	→障害児とされた 児童・生徒

図4　マイノリティ児童・生徒のエンパワーメント――教育的介入の枠組み（カミンズ・ダネシ 2005, p. 106）

母文化を剥奪され、自分の「声」を発する機会が与えられずに低学力にあえぐ、という典型的な少数派の弱者の立場の例としてろう児・難聴児が提示されています。しかしそのような状況でも現場教師が自分の教育的役割をどう定義するかで、社会の一般的傾向とは逆方向に子どもをエンパワーすることが可能だというのが、カミンズの提唱です。これを図4「マイノリティ児童・生徒のための教育的介入の枠組み」で示しています。

図4の枠組みは、「社会的状況」と「教育的状況」の二つで構成されています。「社会的状況」とは、マイノリティ児童・生徒のアイデンティティが多数派に属することもできず、また少数派からも疎外されて「どっちつかずの不安定」な状況にあることを示しています。「教育的状況」では、「どっ

ちつかずの不安定」なアイデンティティに対する対照的な二つの教師のあり方を示しています。教師自身の役割の定義次第で、プラスに転換することも可能、その逆も可能だということです。左は「多文化共生」の立場で「エンパワーされた児童・生徒」が育つが、右なら「障害児とされた児童・生徒」になる従来の「同化主義」の立場です。

疎外された「どっちつかずの不安定」な状況について、英国在住のカリブ出身の教育者 Gloria Morgan の例をカミンズは引用しています。「英国にいるアフリカン・カリビアン系の子どもたちは、二つの文化の間の狭間で身動きがとれなくなっていると私は言いたいと思います。一方の文化は周囲から優れたものだと言われるのですが、それが完全に自分のものだとは思えないのです。肌の色が黒いことを我慢しながら、社会が自分たちの価値を低いものとして扱うのにじっと耐え、黙って見ていること、聞いていることは、疲労感がつのり、徐々に自尊心が失われていくのです。何もやる気がなくなり、鬱ぎ込み、反社会的な行動に出ることさえあるのです。」(Cummins, 2000, p.51 から引用)

次に「教育的状況」と「教師者の役割の定義」ですが、カミンズは**「文化・言語の統合」「コミュニティの参加」「教授アプローチ」「評価」**という 4 つの領域に分けて説明をしています。

「文化・言語の統合」とは、マイノリティ児童・生徒の母文化と母語に対する学校や教師の態度で、学校側がその価値を認め、それを学校生活の中に統合できるかどうかという問題です。これによって、母語を失って現地語しかできない「減算的」なバイリンガルになるか、母語も現地語もできる「加算的」バイリンガルに育つかが決まるというのです。

「コミュニティの参加」では、マイノリティの保護者は往々にして言葉の壁、文化の壁のために教育参加をして教師との協働的な関係を築くことが難しいのですが、学校や教師が努力して教育のパートナーとして保護者との関係づくりをすることができれば、保護者自身がエンパワーされ、そしてそれがマイノリティ児童・生徒のエンパワーメントにつながるということです。

「教授アプローチ」は、教師中心の知識偏重になりがちな「知識授与型アプローチ」は多数派の価値観やニーズを優先させるもので、マイノリティ児童・生徒がその価値観を内面化して、自分自身に自信が持てないまま疎外される傾向があります。そうではなく自分が置かれている社会的状況を批判的、分析的に把握し、その状況を容認するのではなく自ら現実の課題に立ち向かえるように「交流・実体験・批判分析型」の指導が重要だと言っています。

「評価」では、能力試験や標準テストをマイノリティ児童・生徒に強要し、低学力の元凶をマイノリティ児童・生徒自身の「生まれつきの劣性」「生来の言語的欠陥」と捉える「体制肯定的」な態度ではなく、「体制批判的」な立場、つまりマイノリティ児童・生徒を擁護する立場に教師が立つことによって、マイノリティ児童・生徒の学習態度が前向きになり、CLD児の学校教育の質の改善につながるというのです。

このエンパワーメント理論をさらに発展させて複数のリテラシー教育と結びつけたのが、次に述べる変革的マルチリテラシーズ教育学です。

(6) 変革的マルチリテラシーズ教育学

「変革的マルチリテラシーズ教育学」は、格差のない社会の実現に向けた変革を視野に含めた教育理論です。「変革的」というと過激に聞こえますが、決して行き過ぎた行動的なものではなく、あくまでも学校教育という場で、教師のアイデンティティのあり方次第で、間接的に社会を変革していくことが可能になるという主張です。日本でも教育社会学者などによって提唱された低学力への対処法がありますが（例：刈谷・山口 2008; 志水 2008）、複数言語のリテラシー育成を中心に据えたものは見当たりません。この意味でカミンズの「変革的マルチリテラシーズ教育学」は、マイノリティ言語児童・生徒のためのユニークな言語教育論と言えるでしょう。カミンズの主著（2000）のタイトル "Language, Power and Pedagogy" に示されているように、カミンズが近年一貫して課題として取り組んできたのが CLD 児の「言語」「（社会的）力関係」、そしてこの２点を踏まえた「教育理論」なのです。

カミンズの同僚で第二言語習得論の権威メリル・スエインは、社会文化論の波に乗って第二言語習得論に加わった新しい領域としてカミンズの教育理論を位置づけ、その立場をポスト構造主義（Poststructuralism）と呼んでいます（Swain & Deters, 2007）。ポスト構造主義とは、言葉の意味が社会的文脈の中で創り出されるという視点に立ち、不平等な社会の力関係から平等な社会への変革までを視野に入れた立場だということです。カミンズ自身、体制順応型ではない応用言語学者と自認している面があります。いずれにしてもカミンズが教育論の中で扱う領域は驚くほど広く、思いつくまま列挙しただけでも、バイリンガリズム、言語心理学、社会言語学、教育学、社会学、政治学、文化人類学、イマージョン教育、継承語教育、特別支援教育、ろう児・難聴児教育、第二言語習得、英語教育、マルチリテラシーズ教育、IT 教育、アセスメント……、そして成人も子どもも、マジョリティもマイノリティもと、実に長いリストになります。これら多岐にわたる領域を統合して教育政策の指針となる教育原理、指導原理を提唱しているのがカミンズです。2002年からは Canada Research Chair に選ばれ、名実ともに国際的に活躍する世界第一級の研究者として認められています[3)]。

話を元に戻すと、「変革的マルチリテラシーズ教育学」はこれまでのリ

3）Canada Research Chair とは、世界各地で国際的に活躍する研究者を精選してその所属大学に年２万ドルの研究資金を提供するというカナダ連邦政府が2000年から始めた取り組みである。全国で2000人、そのうち500名前後はカナダ以外の学者を対象としている。

テラシー教育とどのような点が異なるのでしょうか。カミンズは、この点について、従来の教育と対比して次のように言っています。

> 児童・生徒が学校に持ち込む多様な文化資本と言語資本を踏まえて、テクノロジーを増幅器として用い、英語重視型、教科書依存型の単線の読み書き教育を超えて、情報社会に適した多言語による複線のリテラシーを育てる教育的取り組みである。(Cummins, 2006, p.53)

「英語重視型、教科書依存型の単線の読み書き教育」とは、日本のことかと思って一瞬はっとしましたが、実はこのような状況は、アジアはもちろんヨーロッパ諸国でもよくある状況だそうです。伝統的な教育観と袂を分かつキーワードを列挙すると、多様性、テクノロジー、多言語、複線のリテラシーとなり、新しい方向の特徴が分かるように思います。

ここで「変革的マルチリテラシーズ教育学」が「エンパワーメント理論」と異なる点を3つあげておきたいと思います。第一は、これまでの「教授アプローチ」の3つの流れを一つにまとめ、それぞれのアプローチの特徴を示すと同時に、どのアプローチも大事なものという位置づけをしていることです。第4章の図8（p.127）の「入れ子型教育のオリエンテーション」がそれで、「知識授与・伝達的学び」「社会的構築主義的学び」「変革教育学的学び」の3つが個別に独立しているのではなく、入れ子型に重なり合ってそれぞれの役割を果たしていることを示しています。これとは対照的に「エンパワーメント理論」では「変革的」の代わりに「進歩的（progressive）という用語を使い、3つのオリエンテーションを並列に並べて比較・対照していました（Cummins 1996, p.154）。日本のように「詰め込み教育」（知識授与・伝達的学び）から「ゆとり教育」（社会的構築主義的学び）へと二項対立で大きく揺れ、また2011年を迎えてさらに揺れるという教育課程行政を見ていると、「入れ子型教育のオリエンテーション」の利点がよく分かります。教科内容の充実はもちろん、総合学習の時間の探求型学習も、また社会格差がいよいよ深まる日本の国の再生を目指した変革的な態度の育成も、どれも必要なのは明らかだからです。

第二点は、リテラシー教育の方向づけをしていることです。2000年半ばに始まったアイデンティティ・テキストを踏まえて教師との対話をもとにできつつあるのが「リテラシーとの関わりの教育的枠組み」(第3章と第5章)と「リテラシー熟達度の枠組み」(第4章)だと言っています。リテラシー教育というと読みをどう教えるか、語彙をどう増やすかなど具体的な指導法が期待されるのですが、どちらも教え方や指導のテクニックを示したものではありません。カミンズ自身「教授－学習というプロセスにおいて、'テクニック' という側面の占める重要性は二次的である」(1997, p.182) と言っています。では、何が中心課題かというと、キーワードは「アイデンティティへの投資」と複数の「リテラシーを高める知的活動への参加」です。つまり、児童・生徒の自尊感情を高めることによって、知的活動に前向きに取り組む態度を育成することです。そしてその過程で複数言語のリテラシーの獲得を可能にすると同時に、格差社会のさまざまな不平等に対して闘う姿勢を育て、よりよい共生社会の実現につなげることが教師と児童・生徒の関係のあり方によって可能になるという考えです。これら二つの枠組みが日本という土壌でどのように役立つかはこれからの課題ですが、アイデンティティ・テキストという具体的な取り組みを観察する限りでは、だれでも、どこでも、いつでも簡単に取り込むことができ、また効果が挙げやすいものだと思われます。日本でもこれに近いすばらしい取り組みですでに効果をあげている例もあります[4)]。

4) たとえば、公立中学校教諭の小川郁子先生の中国人中学生を対象とした「静夜思の謎」という取り組みがある。「生徒たちは、日本語と中国語を駆使して、まさに日本にいる中国人中学生でなければできない研究をして、それを母国の人たちに届けるというすばらしい実践をしました。…この取り組みは、まさに「変革的マルチリテラシーズ教育学」に当たるのではないかと思いました」(メールによる個人情報による2011.2.21)。

第三点は、「変革的マルチリテラシーズ教育学」がマイノリティ児童・生徒に特化したものではなく教育全体に示唆を与える指導原理だということです。「変革的マルチリテラシーズ教育学」の究極の目標は、社会の不平等を克服すること、社会の力関係を変革することにあり、それを可能にする心臓の部分の役割をするのが教師と児童・生徒とのインターパーソナルな対話空間であるとカミンズは言っています。教師が主体性を持って、子どもの自尊感情を高め、認知活動に参加できるようにすれば、新しい力の創造につながり、その力が社会を変える推進力となるという、教師の役割を中心に据えた教育哲学と言えます。一見学校教育のみに特化した指導原理のように見えますが、「学校」「教師」を拡大解釈して課外学習、家庭学習、地域団体の学習支援までを含む「学びの場」と捉えれば、そこで生まれる指導者と児童・生徒の対話空間にも同じ理論を当てはめることが可能であり、支援者、ボランティアにも意味のある指導原理になるのではないかと思います。

3. カミンズ教育理論と日本の年少者言語教育

日本が現在抱えている年少者言語教育に、カミンズの教育理論はどのような指針を与えてくれるのでしょうか。次の4つにしぼってカミンズ教育理論の意味を考えてみたいと思います。(1)国内CLDの実態とその対策、(2)母語・継承語教育の実態、(3)CLD児に対するリテラシー教育の実態、そして(4)日本の教育課程行政と教師のエンパワーメントです。

(1) 国内CLD児の実態とその対策

カミンズは、米国のCLD児の例としてアフリカ系、ラテン系、先住民の子どもたちを挙げていますが、日本では、CLD児に相当するのはどのような子どもでしょうか。第3章でカミンズは同和地区の低学力の問題に触れていますが、低学力に悩む学校がなくなった訳ではありませんが、言語背景が異なるわけではなく、集住傾向が減ったために国内ではあまり問題にされなくなっています。現在、日本のCLD児でまず筆頭にあげられるのはろう児・難聴児です（第5章)。同じ日本人でありながら手話という自然言語を剥奪され聴者文化への同化を余儀なくされているCLD児です。人口の約0.1%に聴覚障害があると言われますが、その90%が聴者の親を持つため手話が親から子へ伝承されるのではなく、同輩集団やろう者の成人を通して獲得されるのです。さらにろう学校では、日本手話が授業言語としての地位を得ていないために、ろう児の手話も日本語の読み書きも年齢相応のレベルに追いつかず低学力に悩むという状況にあります。次が通称「外国人児童・生徒」と呼ばれる言語的マイノリティでしょう。単一言語志向が強い日本にとっては「外国人生徒は世界から日本社会に届いた宝物」と言った人がいますが、ナイーブなモノリンガル・イデオロギーを打ち破って、マルチリンガリズムの時代に向かう触媒の役割を果たす可能性を持ったCLD児たちです。このほか低学力と直接結びつくわけではありませんが、日本には海外の多言語環境の中で幼児期、学齢期を過ごす日本人児童・生徒がいます。2008年には世界56カ国に204校の補習授業校があって学習者の数が1万6,754人[5)]、いまも増えつつあり、マルチリンガル時代を迎える日本にとっては、まさに真の宝物と言える存在です。ここでは以上のさまざまなCLD児の中から特に「外国人児童・生徒」を取り上げて、その実態と対策を考えてみたいと思います。

日本で「外国人児童・生徒」と呼ばれるのは背景の異なる日本在住者・定住者の総称です。①特別永住者（在日韓国・朝鮮籍、華僑の子孫）、②中国帰国者（中国残留孤児、中国残留婦人の引き上げに関連して来日した者）、③インドシナ難民、④研修生というカテゴリーの短期就労者、⑤日系南米人、⑥アジア系国際結婚の連れ子などですが、①は通称オールドカマー、②から⑥を引っ括めてニューカマー、別名外国人児童・生徒と呼ばれています。その中で言語習得が問題になるのは、②の中国との国交回復後、中国残留孤児の関係で帰国した子どもやその子孫、③ベトナム、ラオス、カンボジア難民で「難民の地位に関する条約」「難民議定書」批准後（1982）家族の呼び寄せで来日した子ども、⑤日系人就労者で、出入国管理の改定で南米日系人の里帰りという名目で来日したブラジル人やペルー人の子どもたち、⑥アジア系国際結婚の子どもで、過疎地域の花嫁の連れ子または呼び寄せで来日した学齢期の子どもです。日本語がゼロである上に新しい父親との折り合いなどを含めて家庭環境、学校環境で大きな変化を経験する子どもたちです。⑤の日系南米人は、2009年のリーマンショックとそれに続く不景気のため仕事を失って帰国する人が増えましたが、一方では定住化が進み、低学力に悩む2世児の数が増えつつあるというのが現状です。

外国人児童・生徒は、日本の公立小中学校でどのような経験をするのでしょうか。文部科学省のホームページに明記されているように、日本在住の外国人の子どもは、就学義務がなく、国際人権規約、児童の権利に関する条約に批准している関係上、「授業料不徴収、教科書の無償給与など日本人児童・生徒と同様に取り扱う」ということで、日本の学校のルールに従い、うまく適応する限り無償で受け入れるという立場です。まず学校運営上問題になるのは、保護者との連絡と子どもの日本語能力の欠如です。このためにバイリンガル適応員という形で母語のできる支援者を保護者との連絡のために雇用、日本語対策としては学校生活への適応と初期日本語の習得を目的とする取り出し授業で対応するのが一般的です。このような足りないものを補うという補償的な支援は日本ばかりでなく世界各地で見られるものです。一見合理的な支援に見えるし、短期間では問題がないのですが、これが長期にわたると「日本語のできない子」というレッテルがはられることになり、そのため自尊感情が傷つき、アイデンティティの混乱を招く、極めて効率の悪い対策だということが分かっています。

外国人児童・生徒への支援は多岐にわたり、日本語指導、適応指導、放課後の日本語・学習支援、プレスクール（就学前初期日本語・生活適応指導）、不就学調査、高校への進路指導など、いろいろですが、調査と言っても外国人児童・生徒数とその言語背景、不就学児童・生徒数などが中心で、日本語達成度、母語・母文化保持伸長度、学力達成度に関するものはまだありません。次にだれが支援に当たるかですが、カナダでは普通教員免許の上にESLの追加免許を持っている教師が取り出し授業であるESLの教師になりますが、日本にはそのような教員免許制度がないために地方自治体によってその資格も形態も支援期間もまちまちです。ちなみに小学校に5,017名、中学校に2,288名の外国人児童・生徒がいる東京都の例を見ると、日本語支援のある小学校はたった19校、中学校（昼間部）は6校で、夜間中学は6校、市教委が指導員を派遣するという形がもっとも多く、その期間が20～40時間に限られていると言われます。この極端に短い支援期

5）『海外子女教育』2008.9. p.46.

間が終わるとただ放置される子どもが全体の90%以上にのぼるということです（山下2008）。また 一般公開されている東京都の「外国人児童・生徒への日本語指導」の人材募集でも教員免許の有無は一切問われていません。L2の教科学習言語能力の獲得には5～10年もかかるのですから、初期指導に加えて長期にわたって教科学習言語能力を伸ばす教員の確保が重要なのですが、そこまで行っていないのが現状と言えるでしょう。

以上から現行のCLD対策の問題点をまとめると、次のようになります。

1）支援対策が地方自治体任せで一貫性がないこと
2）JSL教師や指導員の資格認定制度がないこと
3）支援が初期日本語指導という狭い領域に集中していること
4）日本人児童・生徒との自然交流が少ないこと、またその必要性が認識されていないこと
5）支援が義務教育期間に限られ、大事な幼児期、高校レベルの支援がほとんどないこと
6）子どもの母語・母文化への対応が欠如、あったとしても一貫していないこと

最近宝塚市で中学生が起こした放火事件がありました（朝日新聞2010年7月21日）。4歳のときに来日した15歳のブラジル国籍のCLD児が日本人の同級生といっしょに自宅に放火した事件です。母親死亡、養父重体、妹重傷という悲劇で、その後同級生の自宅に行き、油のようなものをまいているところを家人にみつかり、身柄を確保されたということです。詳しい事情は報道されませんでしたが、このふたりに共通していたのは、肉親に対する憎しみだったのでしょうか。CLD児はブラジル人の養父としっくりいかず、実の母親からは暴力を受けていたそうです。母親は日本語が片言しか話せず、子どもは日本語は話すがポルトガル語が使えないため、

親子のコミュニケーションがうまくとれないという状況だったようです。学校では日常会話はできても、難しいテスト用語は理解できず、教科書が読めないため授業を抜け出すことが多かったそうです。兵庫県には子ども多文化共生サポーター制度がありますが、来日３年以上過ぎていたため、その支援は受けられなかったそうですし、また日本語が話せるので取り出し授業の対象にもならなかったということです。

この悲惨な事件は、親子のコミュニケーションの不具合から来る思春期特有のCLD児の心の問題をさらけ出したものと言えるでしょう。カミンズは、親子の言語のギャップから生まれる思春期の感情の亀裂について次のように述べています（第１章）。

子どもが就学初期に学校言語の会話力をいかに速く「ピックアップ」、つまり自然に覚えてしまうかということに人はよく驚きます（学習言語では母語話者に追いつくのにはずっと長い時間がかかるのですが）。ところが、教育者がなかなか気づかないのは、子どもの母語の力がいかに速く失われるかということです。家庭でも同じです。もちろん母語が失われる速度や度合いは、同じ言語集団が学校の中にどのぐらいいるか、学校の周辺にどのぐらい集住しているかによって異なります。学校外のコミュニティで母語がよく使われる状況では、子どもの母語の喪失の度合いは低くなりますが、そのような言語コミュニティが存在しない状況、あるいは一定地域に「ゲットー化」された状況では、就学後２～３年で母語でコミュニケーションをする力を失うのが普通です。聞いて（理解する）受容面の言語能力は保持できても、自ら話す産出面となると級友や兄弟、また両親への受け答えにもマジョリティ言語を使うようになるのです。そして子どもが成長して青年期を迎えるころには、親子の言語のギャップが感情の亀裂にまでなってしまいます。このため子どもは家庭文化からも学校文化からも阻害されるという予測通りの結果になるのです。(pp.67-68)

兵庫県国際交流協会がまとめた情報によると、この事件に対する各教育機関の対応は、臨床心理士１名を中学校に派遣して教職員と日本人児童・生徒の心のケアに当たる、多文化共生サポーターを追加配置して児童の心のケアと家庭との連携に努める、全小中学生にストレス調査を実施、24時間の「子どもシェルター」の開設など、でした。どれももっともな事後処理ですが、カミンズが主張する教育の中核にある担任教師やクラスメイトとの対人空間はどうなっていたのでしょうか。このような事件が再発しないようにするにはどうすればいいのでしょうか。

この事件の最大の悲劇は親子のコミュニケーションのツールとなる共通言語がなかったことです。親の母語であるポルトガル語はどうしたら保持できたのでしょうか。この事件は一見特殊な事件と取られがちですが、実は母語を剥奪され、親子の意思疎通ができなくなった思春期のCLD児が抱える想定内の問題なのです。母語・母文化に対する一貫した支援対策を欠く日本では、一触即発の時限爆弾を抱えている思春期のCLD児が日本のどこにでもいるということを認識すべきだと思います。

(2) 母語・継承語教育の実態

宝塚事件を回避する方法の一つは、CLD児の母語・継承語を強めて親子のコミュニケーションを可能にすることですが、日本の母語・継承語教育の実態はどうなっているのでしょうか。まず行政の母語に対する態度ですが、文科省のホームページに母語に関する記述は見当たりません。しかし母語使用が禁止されているわけではないので、教育委員会、NPO団体、国際交流協会その他によるいろいろな取り組みが見られます。たとえば、兵庫県教育委員会では、人権教育課の活動の一部として2006年から母語教育支援事業をやっており、小中学校15校で6つの継承語の指導をしていますし、多文化サポーター制度があって16言語、235校、100名近くのサポーターがいるそうです。また大阪府の門真市のある小学校では市教委の協力で中国系の小学生全員に正課の一部として中国語を教えていました（毎日新聞 2008 年 2 月 22 日）。また大阪府の高校でも外国語課程に継承語としての中国語やフィリピノ語を 2001 年度から特設しているそうです。ただ残念なことに以上のような取り組みは全国的に見ると例外中の例外と言えます。

言語によって母語・母文化保持に熱心な保護者には、外国人学校という選択肢があります。全国に 188 校、民族学校が 27 校、国際学校やインターナショナルスクールが 33 校もあるそうですが、最近は閉鎖される学校も多く、全国に 100 近くあったブラジル人学校が 79 校に減ったそうです（朴 2007）。経営難などさまざまな問題を抱えていますが、教育上の問題だけに限ると問題の一つは、ポルトガル語やスペイン語を学習言語として使用はしても日本語学習は週 1 ～ 2 時間が普通で、CLD 児が必要とする両言語のリテラシーが伸ばせないということです。親はモノリンガルアプローチの「外国人学校」か「日本の学校」かという困難な選択を迫られるわけです。もう一つは教員免許をもつ教師が少ないという悩みです。この問題の対処として一つ画期的な動きも出てきています。それは東海大学とブラジルのマットグロッソ連邦大学が提携してブラジル小学校の教員免許（幼児から小 4）を日本にいながらにして取得できる遠隔教育が始まり、現在 270 名が受講中だそうです。CLD 児教育の質の向上には掛け替えのないプログラムであり、このような教師養成の取り組みがほかの言語でも望まれるところです。

母語・継承語教育でもっとも大事な時期は、幼児期から就学初期にかけてです。この時期に必要な言語接触が与えられず言語発達が遅れてしまうと、小学校高学年になって教科学習言語能力が年齢相応のレベルに達することが難しくなります。最近地方自治体を中心に「幼児のためのプレスクール」が増えているようですが、この時期こそバイリンガルアプローチ、マルチリンガルアプローチが必要です。世の中には一つ以上の言語があり、それぞれ違う文字があり、違う（絵）本があり、違う歌があること、ことばが二つできることは価値があることなのだということを体を通して実感させることが大事です。つまり、バイリンガルアプローチで日本語の読み書きの初歩を教えると同時に、保護者を啓蒙して母語の読み書きの基礎を家庭や地域、団体の力で習得するように呼びかけることです。カミンズの相互依存説は、たとえばポルトガル語で読み書きの初歩を習えば、その力が日本語の読み書きの土台となり、小学校5、6年生になると教科学習言語面で日本語だけのモノリンガルよりも学力が高いという結果になって返ってくることが予測できると言っているのです。CLD児の幼児期から小学校低学年にかけての言語環境をこのような学校教師と保護者との連携によって改善することによって、バイリンガルの基礎作りができるし、宝塚事件のような悲劇を回避する可能性も出てくるように思います。

母語を教えるとなると、放課後や週末に子どもを「母語教室」に集めて「母語を教える」のが普通の形態です。しかし実際にクラスを開いてみると同じ年齢の子でも母語のレベルが一人一人異なり、真面目な教師ほどどう教えたらいいか悩むのが現状です。カミンズが推奨しているのは、このような取り出し型の母語教育ではありません。日本人の児童・生徒も含めた学校教育の場で、CLD児の母語・母文化を正統化し、価値の吊り上げをし、その使用を奨励することなのです。日本人の児童・生徒のいる中でこのような体験をすることにより、CLD児は自分の母語を見直し、母語を学習しようという意欲が生まれるというのです。アイデンティティ・テキストは、まさにこのような目的のための総合的なプロジェクトワークであり、日本人の児童・生徒も交えて共に課題に取り組むことにより、自らのヘリテッジに目覚め、その言語にアイデンティティを投資したいという意欲に火をつけることができるのだとカミンズは言っています。

(3) CLD児に対するリテラシー教育の実態

日本のCLD児は、教科学習言語能力を伸ばすためにどのような指導を受けているのでしょうか。カミンズは「CLD児が学校教育で成功するためには（バイリンガル）プログラムの中で両言語のリテラシーの指導が効果的にされなければならない」（第3章）とし、そのために多読、多書が必要不可欠だと言っています。日本語は日本人でも中学生にならないと新聞がまともに読めないほど複雑な表記法を持つ言語ですから、非漢字圏の子どもにとって教科学習言語能力の獲得は至難のわざと言えるでしょう。日常生活で触れることのない抽象的な漢熟語や文化的、歴史的な漢字語彙は読書を通してしか触れるチャンスがなく、日本人児童・生徒でも多読指導なしには到達不可能だと言えます。さらに教科別に検定教科書があるため、国語教師がどんなに頑張っても、それだけで理科や社会の教科用語が身につくわけではなく、それぞれの教科の担当教師がCLD児の特殊事情を踏まえて教科用語を教え、教科特有の談話の型を指導するという支援体制を組まない限り、なかなか年齢相応の学力に到達するのは難しいことです。カミンズは「マルチリンガル環境におけるリテラシー獲得の教育的枠組み」（第3章、第5章）と「リテラシー熟達度の枠組み」（第4章）を示して、これらの枠組みが「低学力の要因、低学力にあえぐCLD児に対する教育施策を考える上で必要となる‘レンズ’（視点）を提供してくれるもの」と言っています。そしてその中心に据えられているのがCLD児の自尊感情の高揚と知的活動への参加です。

日本のCLD児の日本語と母語のリテラシー達成度はどのような状況でしょうか。もっとも母語教育が進んでいる大阪府の公立S小学校の例ですが、(A)日本人児童・生徒（36名）と(B)中国系外国人児童・生徒（63名）の読書行動、読書習慣、読解力を調べたことがあります。ひとり親の家庭が30%、給食費等で就学援助が必要な児童が50%という厳しい環境にある学校ですが、その27%（88名）が中国系児童でした。S小学校の大きな特徴は、この中国系児童全員に取り出しの日本語指導に加えて、中国語のクラスが正課として週1～2回行われていることでした。市教育委員会の特別予算で中国語の「支援時間数」が年間1000回を越えたそうです。

調査の結果、読書習慣が「あり」と判断されたケースが（A）は44.7%、(B）はわずか9%でした。(A）は家でも学校でも読書をするのに対して、(B）は学校のみ、朝学習とか読書タイムなど指定されたわずかな時間（約20分）に図書室の本を手にとるのが唯一の読書体験のようでした。つまり、家には日本語の本も中国語の本もないのです。たとえあったとしても「漢字が多くて読めない」と子どもは言っていました。また読書というと教科書の音読と取り違えた子が多かったことから、いわゆる教科書以外の本を自由に手に取って読むことがほとんどないという事態が浮き彫りになりました。

S小学校のように週1〜2時間の母語学習が正課としてカリキュラムに組み込まれた場合どのぐらい中国語のリテラシーの育成に役立つのでしょうか。もちろん教授法にもよりますが、上の調査でも明らかになったように、週1、2時間中国語を教えるだけでは、中国語の読み書きの力を育てるところまでは行かず、その結果、バイリテラルな人材が育たないということです。スクットナブ＝カンガス（1988）は、適切な「母語による教科学習」のない母語教育は「心理的にプラスになるお化粧のようなもの」と酷評していますが、どうしても母語を学習のツールとして使用する必要があるのです。

S小学校の周辺の小学校も含めた櫻井の調査によると（中島・櫻井2011)、日本生まれの中国系CLD児（63名）と日本人児童（92名）の読書力を比べたところ、年齢相応の読解力があると判断された児童の割合は、図5のグラフAのようになります。CLD児は12.7%（8名)、日本人児童は48.9%（45名）で、1年生の段階ではCLD児4.8%（1名)、日本人児童54.8%（17名）と格差がもっとも大きく、CLD児は中学年でやや向上が見られますが、高学年でまた差が広がり、格差を縮めることができないまま小学校時代が終わるという結果でした。 つまりひらがな文字がある程度読め、自分の名前が書けるようになって小学校に上がってくる日本人児童に対して、CLD児は日本語の話す力も弱く、語彙も少なく、平仮名学習もこれからという状態で小学校時代を始めるということです。

グラフBは、読書が好きな児童の割合です。低学年では、8割弱の児童が「本が好き」と回答したのに対して、学年が上がるにつれて差が大きくなり、日本人児童6割程度、CLD児は中学年で5割強、高学年で2割と読書への嗜好が薄れる傾向が見られました。このようなCLD児には、就学前から絵本に触れさせ、小学校1年の読書に対する前向きの姿勢をなんと

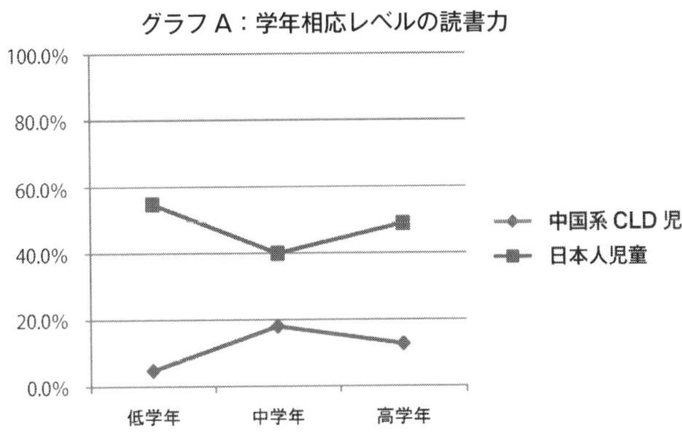

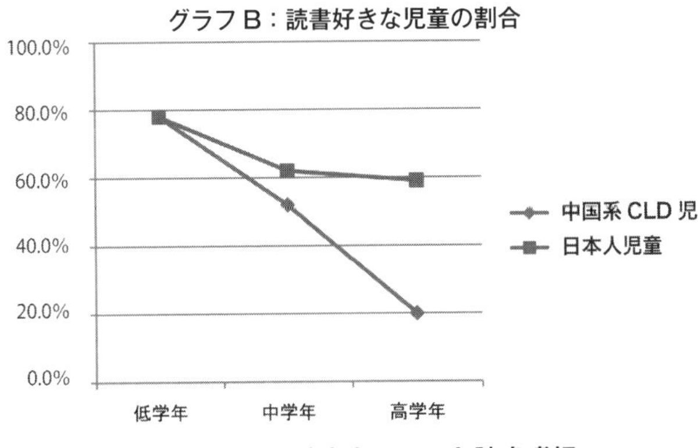

図5　CLD児の読書力レベルと読書嗜好

か小学校時代を通して保持することが今後の指導の課題になるでしょう。

では、CLD児に対する読み書き指導は、日本人児童・生徒に対する指導とどこが違うのでしょうか。カミンズは、言語間の転移を促進するために積極的な取り組みが必要で、特に複数言語を知的リソースとして活用することによって転移が促進できると言っています。また就学前に日常生活を通して馴れ親しんでいる言語、つまり家庭言語／母語で文字の導入をするのがもっとも効率がよく、教科学習でも馴れ親しんできた言語を使うのが一番深い理解につながるということです。幼児期にしっかり一つの言語が育っていれば、学校に上がって日本語との接触が急激に始まったときに、その力は自然に日本語に転移するので、たとえばポルトガル語で絵本が読めるCLD児は、読む力が自然に日本語に転移して、時間の余裕を持って待っていると日本語でも読めるようになるということを意味しています。ということは、リテラシー獲得のために幼児期に育てる言語は日本語でなくてもいいということです。だから「もし高度な学力と第二言語能力を教育目標とするのであれば、子どもが馴れ親しんでいる言語で教えた時間は最も賢い投資になる」とカーネギーメロン大学のタッカー教授は言っています（Tucker 1999: 2）。つまり幼児時代にどのぐらい言語が伸ばせるかは、その後の第二、第三言語の習得、学力達成の鍵を握るものであり、このような母語が持つ役割をしっかり踏まえて、幼児からのリテラシー育成プログラムが日本でも望まれるということです 。

(4) 日本の教育課程行政と教師のエンパワーメント

日本は、少子高齢化、労働力人口低下などさまざまな問題を抱え、教育の場でも 基礎学力低下、学習意欲低下、学級崩壊、親学の必要性、相次ぐ自殺問題など、多くの問題を抱えています。その中で新指導要領が導入され、週5日制、総合学習の時間は据え置きですが、学習時間が小学校では278コマ、中学校では105コマ増えました。またPISAで明らかになった日本人児童･生徒の弱点を改善するために、学力の基盤となる「言葉の力」の充実をねらい、国語科がその育成の中核の役割を担うということです。「言葉の力とは、明確な目的達成のため、相手に応じて適切に「話す／聞く」「読む」「書く」ができる力」と規定され、たとえば本を読んで自分の意見を言えるだけでなく、ほかの人の感想を聞き合う･伝え合う、つまり「交流」の必要性も強調されています。

教育課程行政が大きく揺れることに対する問題点は前節で触れましたが、新指導要領で問題になるのは、教育課程行政が日本のCLD児の存在を全く無視していることです。また言語といえば「我が国のことばである国語」を意味し、CLD児が持ち込む多くの言語の存在が全く視野に入っていません。言語・文化は比較することによってのみそれぞれの言語の特徴が見えてくるものですから、日本人児童・生徒の言語に対する気づきや理解を深めるためにも、CLD児の母語・母文化は大事なリソースとして扱われるべきでしょう。カミンズは教育行政の責任とチャレンジについて次のように言っています。

……すべての市民（学齢期の子ども［CLD児］を含む）の権利を尊重し、文化的、言語的、経済的資源が最大限に引き出されるように、国のアイデンティティづくりに取り組むことである。母語の保持伸長を阻むことによって、国の大事な言語資源を浪費することは、国益から見て極めて愚かなことであり、また子どもの基本的人権を蹂躙するものである」（本書第1章p.64）

教育課程においても、日本の将来を見据えて豊かな言語資源づくりを目指すには、モノリンガル思考からマルチリンガル思考への転換が必要だということでしょう。同時に教師としてのアイデンティティ、学校としてのアイデンティティ、国としてのアイデンティティが問われる時代が来ていると思います。

これまでの教授法や授業研究では、教室内の学習過程、指導過程のメカニズムの解明が中心で、国の教育政策、家庭環境、言語環境などマクロなレベルの社会的、政治的要因にあまり重きが置かれてきませんでした。日本の教育の機会均等が崩れ、社会的格差が明るみに出るにつれ、カミンズが提唱する社会の不平等な構造の変革までを視野に入れた教育の実現が必要になってきているように思います。このような視点が必要なのは、宝塚事件でも分かるように、CLD児だけではなく、一般の日本人児童・生徒にも必要だというところが現代の特徴でしょう。

繰り返しになりますが、カミンズの教育理論は教師の主体性を中核に据えたものです。そこで気になるのは、雑用に追われて元気のない日本の学校教師の姿です。エンパワーが必要なのは、実は子どもではなくて教師なのだと言いたい方も多いでしょう。最近特に中途退職する教師が急増しているそうで、ある新聞記事によると、「中途退職の教師はこの5年間に、年平均1万2,000人を越える。子どもや保護者との関係に悩むことが辞める最大の原因とみられている。現場の教師たちが精神的にのっぴきならないところに追い込まれている実態を反映する数字である。」(産経新聞2010年8月2日)ということです。日本が縦社会であることから来る教師への締めつけも深刻で、カミンズが言うように、子どもとのインターパーソナルなスペースの中で子どもの考える力や社会問題に対する気づきを育てる教師の主体的働きが重要だと言われても、雑用やモンスターペアレントの対応に追われて身動きが出来ない…という教師の悲鳴が聞こえてくるように思います。またリテラシー教育においても、自由にテキストを選べる海外の読み書き教育とは大きく異なり、検定教科書や学習指導要領の縛りの中で、アイデンティティ・テキストのような取り組みをする余裕など全くないと思われる教師も多いことでしょう。 このような日本の状況では、カミンズの指導原理を活かす余地はないのでしょうか。

本書を通して一貫してカミンズが一つの主張をしています。最終章の第5章のタイトルに反映されていますが、それは「理論と実践との対話」ということです。カミンズの主張の一つは、国や行政の政策立案は、理論に立脚していなければならないということです。そして理論は実践から生まれるものです。実践からすぐに教育政策に移されるのではなく、実践から理論をまず導き出し、その理論が今度は実践の指導原理になるというのです。いま日本の年少者言語教育が必要としているのは、応急処置、暫定的な処置、補償的な処置ではなく、理論にもとづいた教育政策ではないでしょうか。ろう児・難聴児も外国人児童・生徒も、理論に基づいた教育を必要としています。私が会ったカナダの多くのエンパワーされた教師たちは、カミンズの理論によって有用な指導原理を与えられた教師たちだったということがいま振り返ってみると分かります。日本の教師にも、理論に基づいた指導原理が必要です。応急処置、試行錯誤でCLD児に対応する時代はもう終わったのだという認識が21世紀を生きる日本に必要なことであり、カミンズ教育論から学ぶべきことの一つであると私は強く思います。

引用文献

Baker, C. & Hornberger, H. (Eds.) (2001). *An Introductory Reader to the Writings of Jim Cummins*. Clevedon, UK: Multilingual Matters.

Cummins, J. (1979). Linguistic Interdependence and the educational development of bilingual children. *Review of Educational Research*. Vol. 49. 229-251.

Cummins, J. (1986). Around the World in 80 Seconds! Computer Networks and Language Learning. *Heritage Language Bulletin*. National Heritage Language Resource Unit. Vol. 1, No.2. 1-3.

Cummins, J. (1986). Empowering Minority students: A Framework of Intervention. *Harvard Educational Journal*. Vol. 56, No.1, 18-36.

Cummins, J. (1991). Interdependence of first- and second-language proficiency in bilingual children. In Bialystok (ed.) *Language Processing in Bilingual Children*. (pp.70-80). Cambridge: Cambridge University Press.

Cummins, J. (1996/2001). *Negotiating identities: Education for empowerment in a diverse society* (2nd Ed.). Los Angeles: California Association for Bilingual Education.

Cummins, J. (1998). e-Lective Language Learning: Design of a Computer-Assisted Text-Based ESL/EFL Learning System. *TESOL Journal,* Vol. 7, No. 3. 18-21

Cummins, J. (2000). *Language, Power and Pedagogy: Bilingual Children in the Crossfire.* Clevedon, UK: Multilingual Matters.

Cummins, J. (2005). A Proposal for Action: Strategies for Recognizing Heritage Language Competence as a Learning Resource within the Mainstream Classroom. *The Modern Language Journal*. Vol. 89, No.4. 585-592.

Cummins, J. (2006). Identity Texts: The Imaginative Construction of Self through Multiliteracies Pedagogy. In Garcia, O. et al. (eds.) *Imagining Multilingual Schools: Language in Education and Glocalization*. Clevedon, UK: Multilingual Matters.

Cummins, J. (2007a). Rethinking monolingual instructional strategies in multilingual classrooms. *Canadian Journal of Applied Linguistics*. Vol. 10, No. 3, 221-240.

Cummins, J. (2007b). Pedagogies for the poor? Re-aligning reading instruction for low-income students with scientifically based reading research. *Educational Researcher, 36*, 564–572. (www.multiliteracies.ca)

Cummins, J., Swain, M.,Nakajima, K., Handscombe, J., Green, D. & Tran, C. (1984). Linguistic interdependence among Japanese and Vietnamese immigrant students. In Rivera, C. (ed.) *Communicative competence approaches to language proficiency assessment: Research and application*. (pp.60-81). Clevedon, UK: Multilingual Matters.

Cummins, J. & Swain, M. (1986). *Bilingualism in Education: Aspects of theory, research and practice*. London, UK: Longman.

Cummins, J. & Sayers, D. (1995). *Brave New Schools: Challenging Cultural Illiteracy Through Global Learning Networks*. Toronto, On: OISE Press, Inc.

Cummins, J., Brown, K., & Sayers, D. (2007). *Literacy, technology, and diversity: Teaching for success in changing times*. Boston: Allyn & Bacon.

Cummins, J. & Davison, C. (2007). The Learner and the Learning Environment: Creating New Communities. *International Handbook of English Language Teaching*. Part II. Section 1 (pp.615-623). New York, NY: Springer.

Early, M., Cummins, J., & Willinsky, J. (2002). *From Literacy to multiliteracies: Designing learning environments for knowledge generation within the new economy*. Proposal funded by the Social Sciences and Humanities Research Council of Canada.

Graves, D. (1983). *Writing: Teachers and Children at Work*. Portsmouth, NH: Heinemann

Nakajima, K. (eds.) (2002). *Learning Japanese in the Network Society*. Calgary: University of Calgary Press.

Skutnabb-Kangas, T. (1988). Multilingualism and the education of minority children. In Skutnabb-Kangas, T. & Cummins, J. (eds.) *Minority Education* (pp.9-44). Clevedon:

Multilingual Matters.
Swain, M. and Deters. P. (2007). “New” Mainstream SLA Theory: Expanded and Enriched. *The Modern Language Journal*, 91. Focus Issue. 820-836.
Tucker, R.G. (1999). A Global Perspective on Bilingualism and Bilingual Education. ERIC Digest, August 1999.
刈谷剛彦・山口二郎（2008）『格差社会と教育改革』岩波書店
志水宏吉（2008）「低学力克服への戦略」刈谷剛彦・山口二郎編『学力の社会学 - 調査が示す学力の変化と学習の課題』岩波書店
ジム・カミンズ & 中島和子（1985）「トロント補習校小学生の二言語の構造」『バイリンガル・バイカルチュラル教育の現状と課題』東京学芸大学海外子女教育センター pp.143-179.
ジム・カミンズ & マルセル・ダネシ（2005）（中島和子・高垣俊之訳）『カナダの継承語教育』明石書店
中島和子（1993）「パソコン通信を活用した日本語教育――「書く力」を中心に」『日本語学』Vol. 12, pp.22-30. 明治書院
中島和子編著（2010）『マルチリンガル教育への招待――言語資源としての日本語・外国人年少者』ひつじ書房
中島和子・櫻井千穂（2011）「言語的マイノリティ児童生徒のためのバイリンガル読書力評価ツール（B-DRA）の開発）」2011 年度日本語教育学会春季大会プログラム予稿集（pp.117-122.）
朴三石（2007）『外国人学校――インターナショナル・スクールから民族学校まで』中公新書
山下共徳（2008）「外国人児童生徒教育の充実方策について」『自治体国際フォーラム』2229 号（11 月）

第1章

バイリンガル児の母語
――なぜ教育上重要か

Jim CUMMINS

グローバル化という用語が新聞の1、2面を賑わさない日はないという今日このごろです。グローバル化がビジネス・コミュニティが歓迎する世界貿易の拡張という意味で使われれば前向きの気分になりますが、貧富の差の劇的な拡大というような批判的な意味で使われれば否定的な気分になります。

グローバル化が学校教師に影響を与える重要な点は、国を越えて移動する年少者の数が増えることです。越境にはさまざまな理由があります。より豊かな経済生活のため、あるいは出生率低下に悩む国々の労働力確保のため、民族グループ間の紛争や抑圧のため、また自然災害から逃れるための越境など、その理由は実にさまざまです。日本のような国でも出生率の低下と高齢化が重なって、近い将来経済危機が起こりかねません。これまで日本は移民を受け入れて来ませんでしたが、大量の移民の受け入れなしにテクノロジー（たとえばロボット技術）によってどのぐらいまで日本経済の生産性が維持できるか予断を許さない状況にあると思われます。移民を奨励して来なかった日本においてさえ、近い将来、言語的、文化的多様化が徐々に増すことは避けられないでしょう。

越境は学校教育に言語的、文化的、'民族的'、宗教的多様性をもたらします。カナダのトロント市の例をあげると、幼稚園児の56%は家族とのコミュニケーションに標準的な英語を普段家で使っていない子どもたちです。ヨーロッパや北米の学校ではすでに何年も前から子どもの背景の多様化が始まっているのですが、それでもいまだに論争の的になっており、国によって、また地域によって教育政策や教育実践が異なるという状態です。たとえば、ヨーロッパ各地にあるネオファシストと呼ばれる新興右翼団体などは、あからさまに移民排斥、文化多様性反対を唱えています。よりリベラルな立場をとる政党あるいは政治団体は、なんとか多様性の'問題を解決'して学校や社会を統合する手段を探っているところです。それでも、多様な背景を持つコミュニティの存在を'解決すべき問題'と捉える点では変わりはなく、多様性がホスト国にとってプラスになるという見方をしているわけではありません。つまり、言語的、文化的、'民族的'、宗教的多様性は受け入れ国のアイデンティティを脅かすものと捉えて、'問題'解消のための教育政策を推進しようとしているに過ぎないのです。

ネオファシストたちは移民受け入れの撤廃を叫び、少なくとも社会の本流から移住者を排斥しようとしますが（たとえば学校や居住地での差別など）、よりリベラルなグループは主流社会への同化を奨励しています。ただ'排斥'と'同化'は、両者とも'問題'を見えなくすることをねらっているという点で同じことです。どちらの政策下でも多様な文化背景を持つグループは姿を見せようとはせず、声も立てずにひっそりとしているのです。同化主義の教育政策の下では、母語を保持しようとする意欲を子どもたちから奪ってしまいます。母文化や母語を保持することは、社会の主流派の文化を受け入れる力も主流派の言語を習得する力もないものと見なされるのです。

いまでは（昔多くの国でよくあったように）学校で母語を話したからといって体罰が加えられるということはないかもしれませんが、もし教師や地域社会に受け入れてもらいたければ、家庭言語・家庭文化への忠誠を捨てなければならない、という強いメッセージは伝わってくるのです。

このように多様性を'解決すべき問題'と捉える教育方針は、ヨーロッパでもまた北米でも、いまだに一般的な考え方です。残念なことにこの考え方が子どもとその家族を悲惨な状況に追い込むのです。それは適切な教育を受ける権利の蹂躙であると同時に、子どもと親とのコミュニケーションを阻むものです。教育とは、子どもが教室に持ち込む知識や体験の上に積み上げるもの、指導とは子どもがすでに持っている技能や才能をさらに伸ばすことだ、ということに異論を唱える教育者はいないでしょう。意図的であれ偶然であれ、もし子どもの言語を破壊し、両親や祖父母との人間関係を断ち切ってしまうような教育は、真の意味の教育とは相反するものなのです。

子どもの母語・母文化の破壊は、ホスト社会にとっても極めて非生産的なことです。グローバル化時代には、複数言語、複数文化のリソースにアクセスを持つ社会の方が社会的、経済的に重要な役割を果たし、国際社会でより有利な立場に立つことができるのです。異文化接触が人類の歴史上もっとも頻繁に起こる今日では、社会の'すべて'の集団のアイデンティティが変化します。どんな社会集団でも民族集団でもそのアイデンティティが1点に留まることはないのです。今日のように地球規模で超スピードの変化が瞬時に起こる状況では、アイデンティティをモノクロ、モノカルチャーの博物館の展示物のように固定化したものと考えるのはナイーブな幻想と言えましょう。

教育者や教育行政にとっての最大のチャレンジは、すべての市民（学齢期の子どもも含む）の権利を尊重し、文化的、言語的、経済的資源が最大限に引き出せるように国のアイデンティティづくりに取り組むことです。母語の保持伸長を阻むことによって国の大事な言語資源を浪費することは、国益から見て極めて愚かなことですし、また子どもの基本的人権を蹂躙するものなのです（国際条約および言語的人権についてはスクトナブ＝カンガス（2000）を参照のこと）。

では、どうしたら学校が文化的、言語的背景の異なる子どもに適切な教育が提供できるのでしょうか。まずはじめにことばというものの役割、特に母語の教育上の役割についてこれまでの研究成果を見てみましょう。

母語の（教育上の）役割の発達について分かっていること

これまでの研究では、バイリンガル児の全人格的、教育的発達における母語の役割の重要性について実に明確な答えが出ています（詳しくはBaker 2000; Cummins 2000; Skutnabb-Kangas 2000 を参照のこと）。

①バイリンガリズムは言語の発達にも教育上の発達にもプラスの影響がある

二つあるいはそれ以上の言語を小学校時代に継続して伸ばすと、言語に対してより深い理解をするようになり、また言語をより効果的に使うことができるようになります。特に両言語で読み書きの力（リテラシー）まで伸ばせた場合は、言語を処理する練習をより多く積むことになり、二つの言語を比較して同じ現実をそれぞれの言語がどのように分析するか、その違いが分かるようになります。この点過去35年間の150以上の研究で「言語を一つしか知らないものは、真の意味で言語を知らないのに等しい」という、かつてドイツの哲学者ゲーテが言った言葉を全面的に支持する結果となっています。またバイリンガルに育つ子どもは、二つの異なった言語で情報処理をする結果、思考の柔軟性に優れることも、これらの研究は示唆しています。

②母語の熟達度で第二言語の伸びが予測できる

母語がしっかり育って小学校に入学した児童は、学校言語のリテラシーもしっかり育ちます。親や周囲の者（たとえば、祖父母）が子どもの語彙や概念が育つように家で物語の読み聞かせをしたり、話し合いをしたりするために時間を使っている場合は、子どもが学校言語を習得して学業で成功するために十分な準備をして学校生活を始めることになるのです。なぜなら家庭で母語を通して子どもが獲得した知識やスキルは、母語から学校言語へと転移するからです。子どもの概念理解や思考力の発達という点では、二つの言語は相互依存的であり、双方向で転移が起こるのです。もし学校で母語を使って学ぶ機会があれば（たとえば、バイリンガルプログラムのように）、学校言語で学んだ概念、言語、リテラシーの力が母語に転移するのです。要するに、二つの言語へのアクセスが十分ある教育環境では、両言語が互いに支え合いながら育つということです。

③学校の中での母語伸張は、母語の力だけでなく学校言語の力も伸ばす

このような研究の結果は、(a) バイリンガリズムが子どもにプラスの影響があること、(b) 両言語の力が互いに関係し合い、相互依存的関係で伸びるということを考えると決して驚くべきことではありません。学校が効果的に母語を教え、母語のリテラシーも育つ環境であると、バイリンガル児の学校の成績も上がるものです。逆に母語を捨てることが暗黙のうちに期待される環境では、母語が伸び悩みますし、学びを支える人間的、概念的基盤が崩れてしまうのです。

④学校でマイノリティ言語を使って学んでも学校言語の学力にマイナスにはならない

学校にバイリンガル教育や母語プログラムを導入することを、社会の主流派の言語である学校言語（マジョリティ言語）で教科を学ぶ時間が減るという理由で、疑問視する教師や保護者がいます。たとえば授業時間の50% を母語、50% を学校言語で学ぶというようなバイリンガルプログラムでは、学校言語による学習が犠牲になるのでしょうか。この点、バイリンガル教育研究の世界的な成果の一つは、うまく実施されているバイリンガルプログラムの場合は、学校言語の伸びにマイナスの影響を与えずに母語のリテラシーと母語による教科学習の成果を上げることが可能だということです。たとえばヨーロッパには、小学校時代に三言語（母語、オランダ語、フランス語）の話す力とリテラシーを同時に伸ばそうとするベルギーのFoyer プログラムという取り組みがありますが、これは二言語、三言語教育の利点をもっともはっきり示した例と言えるでしょう（Cummins, 2000, pp.218-219 を参照）。

どうしてこのような結果になるかは、前に触れた二言語の相互依存性についての研究で明らかです。子どもがマイノリティ言語（つまり家庭言語）で学ぶときには、狭い意味でその言語だけを学んでいるのではない

のです。マジョリティ言語で学習するときに必要となる概念、知的スキル（intellectual skill）も同時に学んでいるのです。たとえば、母語でいま何時か言える子どもは、時間の概念も理解しているわけですから、第二言語（学校言語／マジョリティ言語）で時間の概念をもう一度学習し直す必要はないのです。すでに学習した知的スキルを表すのに必要な、新しいラベル、つまり「表層面の言語構造」（時間の場合は、数の数え方、時間の言い方など）を学べばよいのです。同様に高学年になると、物語などの文章の主要テーマと細部のサポート情報の区別、因果関係、事実と意見との区別、物語や歴史の流れの推移を読み取る力などの教科学習の力や読解力が言語間で転移するのです。

⑤子どもの母語はもろく、就学初期に失われやすい

子どもが就学初期に学校言語の会話力をいかに速く「ピックアップ」、つまり自然に覚えてしまうかということに人はよく驚きます（学習言語では母語話者に追いつくのにはずっと長い時間がかかるのですが）。ところが、教育者がなかなか気づかないのは、子どもの母語の力がいかに速く失われるかということです。家庭でも同じです。もちろん母語が失われる速度や度合いは、同じ言語集団が学校の中にどのぐらいいるか、学校の周辺にどのぐらい集住しているかによって異なります。学校外のコミュニティで母語がよく使われる状況では、子どもの母語の喪失の度合いは低くなりますが、そのような言語コミュニティが存在しない状況、あるいは一定地域に「ゲットー化」された状況では、就学後２～３年で母語でコミュニケーションをする力を失うのが普通です。聞いて（理解する）受容面の言語能力は保持できても、自ら話す産出面となると級友や兄弟、また両親への受け答えにもマジョリティ言語を使うようになるのです。そして子どもが成長して青年期を迎えるころには、親子の言語のギャップが感情の亀裂にまでなってしまいます。このため子どもは家庭文化からも学校文化からも阻

害されるという予測通りの結果になるのです。

子どもが母語を忘れないためには、家庭内の言語使用ルールを親がしっかり作り、子どもが母語を使う範囲を広げ（たとえば、母語で読み書きをするなど）、母語を使用する機会を増やすことです（たとえば、地域の母語による託児サービスやプレイグループの活用、母国への里帰りなど）。また国レベル、地域の行政や教育委員会にも重要な役割があります。それはバイリンガリズムや母語保持伸張の利点、家庭で可能な二言語育成ストラテジーなどについて、正確な情報を親やマイノリティ言語コミュニティに提供することです。

学校教師も複数の言語を知っていることがいかに価値のあることか、バイリンガルになることがいかに言語的にも知的にも大きな成果であるか、などについて強力なメッセージを子どもに伝えることによって、母語の保持伸長を助けることができます。また学級活動としてたとえば、(a) 言語意識を高める（例：クラスメイトの使用言語の調査をして、言語・文化的背景の多様性についての認識を高める）、(b) 授業でさまざまな言語を学び合う（例：子どもが家庭で使っている単語の大事なものを毎日一つずつ紹介、教師も含めてクラス全員でその単語を覚え、それについて話し合う）というようなプロジェクトを導入することができるのです。

⑥子どもの母語を否定することは、すなわち子ども自身を否定することになる

明示的であれ暗示的であれ、「自分の言語と文化は学校の入り口のところに置いて来るように」というメッセージが子どもに伝わると、子どもは自分のアイデンティティの中心の部分、つまり自己認識（sense of self）まで、学校の入り口のところに置き去りにするのです。いったん自分のアイデンティティが否定されたと感じると、子どもは自信を持ってクラスの授業に積極的に参加しようとはしなくなるものです。したがって教師は、児童・生徒の言語と文化の多様性をただ容認するという受け身の姿勢だけ

では十分ではありません。教師が率先して**プロアクティブ**（proactive）に、つまり積極的に彼らの言語的アイデンティティを容認する必要があるのです。たとえば、学校の周囲のコミュニティで使われている言語を使ってポスターを作ったり、学校言語だけでなく母語も使って作文を書くことを奨励したり（たとえば、児童が母語と学校言語の両方を使って書いたバイリンガル作文を公表したり、出版したりする）、多様な言語的、文化的体験を持つ子どもの全人格が前向きに容認され、正統化される教室環境を創り出す必要があるのです。

将来に向けてのダイナミックなアイデンティティの形成

学校の中でどのような言語を使うかという言語使用方針、また学校の中のすべての交流を通して子どもとその言語コミュニティの言語的・文化的資源が肯定されるようなカリキュラムと指導方針、などが打ち立てられてはじめて学校が社会一般の言語的・文化的多様性に対する無知や否定的な態度に対抗する姿勢をはっきり示したことになります。抑圧的な社会の力関係に挑戦するには、バイリンガル児のいまの姿、また将来社会の中で実現可能な彼らの姿を、前向きで肯定的な鏡に写し出して子どもの目前に高々と掲げる必要があるのです。多言語・多文化背景の子どもは、自分が属するホスト社会においても、また国際的なグローバルコミュニティにおいても大きな貢献をする可能性を持った子どもたちです。しかしそれはまず、われわれ教育者がすべての子どもに必要だと確信する次のことを実践に移してみて、はじめて可能になることなのです。

- 子どもが家庭生活を通して得た文化的・言語的経験は、その後の学習の基盤となるもので、教育者はその基盤を崩すのではなく、その上に学力を積み上げなければならない。

• 子どもはだれでも自分の特殊技能（母語も含む）が学校の中で正統的に容認されると同時に、その技能を伸張させる権利を持っている。

要するに、多文化・多言語背景の子どもを‘解決すべき問題’と見なすのをやめて、彼らが学校や社会に家から持ち込むものを文化的資源、言語的資源、知的資源として見直すことによって、われわれの社会の文化的、言語的、知的資源が著しく増すのです。このようなオリエンテーションは、英語（あるいは日本語）の習得にのみに焦点を当てるよりもずっとダイナミックな国際主義のあり方と言えるでしょう。

引用文献

Baker, Colin. (2000). *A parents' and teachers' guide to bilingualism. 2nd Edition.* Clevedon, England: Multilingual Matters.

Cummins, Jim. (2000). *Language, power, and pedagogy. Bilingual children in the crossfire.* Clevedon, England: Multilingual Matters.

Skutnabb-Kangas, Tove. (2000). *Linguistic genocide in education——or worldwide diversity and human rights?* Mahwah, NJ: Lawrence Erlbaum Associates.

第2章

カナダのフレンチイマージョンプログラム
——40年の研究成果から学ぶもの

Jim CUMMINS

「イマージョン教育」という用語が、家で英語を使う小学生を対象に学校でフランス語を媒介語にして教科学習をするという画期的なプログラムとして知られるようになったのは1960年代のことです。

まず幼稚園（5歳児）から始まるプログラム（当時「早期イマージョン」と呼ばれたもの）が生まれ、その後中期イマージョン（小学校4/5年で開始）と後期イマージョン（中1/2で開始）が加わりました。過去10数年間フレンチイマージョンプログラムの在籍数はかなり安定しており、カナダ全国の学齢期の子どもの約6%、つまり30万人に及んでいます。

ジェネシー（1987, p.1）はイマージョン教育を次のように定義しています。

> 一般的に言ってイマージョンと見なされる条件は、年間少なくとも授業の50%が第二言語で行われるということである。一つの教科とランゲージ・アーツ（language arts、国語に相当する授業）だけ第二言語で行うプログラムは、第二言語補強プログラム（enriched second language program）と呼ぶのが普通である。

ジョンソン&スエイン（1997）が指摘するように、第二言語に「浸す」（immerse）という学習環境自体は決して目新しいものではありません。学校教育の歴史を遡ってみると第二言語を授業の媒介語として使用すること自体は、例外と言うよりむしろ常套手段であったようです。ただ、それが長年にわたって徹底した評価研究の対象になったのはカナダのフレンチイマージョンが初めてです。もちろんそれ以前に他のプログラムを対象とした大規模調査がなかったわけではありません（例：MacNamara 1966; Malherbe 1946）。

イマージョンプログラムの中核をなすもの

ジョンソン&スエイン（1997）はイマージョンプログラムの核になる特徴として次の8つを挙げています。

- 第二言語を授業の媒介語とする
- イマージョンプログラムのカリキュラムは地域の第一言語（L1）のカリキュラムと同じ
- 第一言語（L1）に対して明らかなサポートがある
- 加算的バイリンガリズムを目標とする
- 第二言語（L2）への接触は主に教室内に限られる
- プログラムに参加する時点で第二言語（L2）レベルがほぼ同じ（低レベル）
- 教師がバイリンガルである
- 教室文化は地域のL1コミュニティと同じ

ジョンソン&スエイン（1997）は、世界のさまざまな国で行われたイマージョン教育のケース・スタディを踏まえて、「実証的研究の結果、条件が整っている場合は、イマージョン教育の成果が**加算的バイリンガリズムをはるかに越えて、認知的、文化的、心理的な面で利点**が見られる……が一方、条件が整わない場合は**加算的バイリンガリズムにまで到達できるかどうか、その可能性**はかなり疑わしい」(p.15)。そしてどのイマージョン教育でも、プログラムを成功させる上で大事なのは、プログラムを機能させるための「リソースの確保」、そして政策立案者から教師、児童・生徒にいたるまでプログラムに関わる者すべてが、途中で絶対諦めないという「強いコミットメント」を持っていることだと言っています。

これまでのイマージョンプログラムの研究成果

40年以上にわたるフレンチイマージョンの成果は、すでにいくつかの本にまとめられています（Genesee 1987; Johnson & Swain 1997; Lambert & Tucker 1972; Rebuffot 1992; Skutnabb-Kangas 1984; Swain & Lapkin 1982）。前述の3種類のフレンチイマージョンプログラムは、いずれも初期の段階で、授業時間の少なくとも50％を目標言語、つまりフランス語を使って教えるという特徴を持っています。早期イマージョンは、普通幼稚園と小学校1年生は100％フランス語使用、その後2/3年生になってから、遅い場合は4年生になってから英語のランゲージ・アーツ（English language arts）の授業が1時間加わります。5/6年生になると二言語による授業が大体50％ずつになり、中学1年から高校の終わりにかけては、フランス語使用の授業の割合が約40％まで減るのが普通です。

フレンチイマージョンの研究では、カナダ全国どこでもほぼ一貫した研究成果が得られています。早期イマージョンでは、英語の教科学習言語能力を犠牲にすることなくフランス語を流暢に話す力とリテラシーの力が獲得されます。英語（English language arts）の授業が正課として加わってからは、英語力も州の標準テストの学年レベルにほぼ1年以内に追いつくという状況です。英語の綴り（spelling）などでより時間を必要とする子どももいますが、5年生になると州統一テストの結果が英語だけで授業を受けてきた子どもとほぼ互角になると言います。この結果で問題になる可能性があるのは、標準テストが英語のすべての教科学習言語力を評価しているわけではないということです。特に書く力、つまり作文のテストが標準テストに入っていないのが普通です。ただ数は少ないのですが、英語を書く力を調べた研究によると（たとえば、Swain 1975)、イマージョンの子どもがこの点で特に問題があるわけではないこと、またフランス語を媒介語として学習した教科学習でも、早期、中期、後期のいずれも、長期的な学力の遅れを示す例はなかったと言っています。

フランス語の力に関しては、受容面のフランス語力が（母語話者の標準値と比較して）産出面よりも強く、小学校の終わりの6年生になるまでには、聞いたり読んだりする力が母語話者レベルに近づくということです。もっとも話したり書いたりする産出面の力では母語話者とのギャップが大きく（Harley, Allen, Cummins, & Swain 1991）、そのギャップが明らかに見られるのは文法の正確度と語彙知識と語彙の使用範囲だそうです。

このようなギャップが生じることは、フランス語のインプットの量が限られていることと明らかに関係があります。イマージョンの子どもたちは、日頃学校外でフランス語に接触する機会も交流する機会もほとんどありません。また余暇にフランス語の読書を楽しむというような児童も非常に稀なのです。小学校1、2年を過ぎるとフランス語で読むこと即教科書を読むことになってしまい、それは子どもが自ら率先してやりたがることではないのです。このため児童・生徒がフランス語の接触範囲を拡げて語彙知識や文法能力を伸ばす機会が非常に少なくなるわけです。

書くという作業も、学校という環境の中だけで行われることが多く、自ら進んでやろうという気にはならない教科学習のタスクの一部として行われることが多いのです。創作作文（creative writing）のプロジェクトなどで、本当の目的（authentic purposes）のために精一杯頑張って、つまり自らのアイデンティティの投資をして書くというような状況はほとんどないと言えましょう。このため、本章の最後の方で触れますが、教授上のアプローチをがらりと変えて、さまざまなジャンルの文章を広く読んだり書いたりする多読・多書を強調することによって、使える語彙の幅が広がり、文法上の正確度も増し、フランス語の文章表現力が大きく改善されるのではないかと思います。

イマージョンプログラムの全体的な成果は次の5点にまとめることができます。

- フランス語は、受容面（聞く、読む）の力はかなり高いが、産出面（話す、書く）の力は文法的正確度と語彙の広がりに限界がある。
- L2 を使用して教科を教えても L1 のリテラシーの伸びにマイナスの影響は見られない。
- 早期イマージョンの場合、フランス語力がかなり弱い低学年児でもフランス語の文字を読む力（decoding skills）を伸ばすことが可能である。
- 1/2 年生の子どもの大多数は、学校で英語の授業が正式に始まる前に英語の文字解読力を獲得している。
- イマージョンプログラムは、知的エリートの子どもだけでなく、さまざまな背景の子どもに適したプログラムと言えそうである。

要するに、イマージョンプログラムだけでは必ずしも母語話者レベルのフランス語力が身につくわけではないのですが、もし当人が望めば、長じてフランス語環境などに入って母語話者レベルにまで近づけるだけの、優れたフランス語の基礎の力を培っていると言えます。

中国という環境におけるイマージョン教育研究成果の意味

これまでのイマージョン教育研究の成果が示唆するところは、子どもたちの家庭言語がその社会のマジョリティ言語であるため母語が後退や喪失の危険に晒されないということ、また高度のバイリンガル・バイリテラシー育成を保護者・学校・行政が一丸となって支援している、という条件の下でイマージョン教育が実現可能だということです。カナダのフレンチイマージョンが「バイリンガル」プログラムだということも重要な点です。つまり二つの言語を学習言語として教科学習に使用していること、高度のバイリンガル力の育成を目指していること、そして教えるのがバイリンガル教師だということです。

では、ここで母語（L1）のリテラシー教育と、教師の目標言語を使いこなす力がどのような意味を持つか明らかにしておきましょう。

母語のリテラシー教育

中国語が表意文字であるため、アルファベットを使用する言語と違って、中国語の語の認知力（word recognition skills）を育てるのにより時間をかけて的をしぼった指導をする必要があるでしょう。アルファベット使用言語の場合は、読字力と読解力では伸び方が異なります（Cummins, Brown, and Sayers, 2006）。具体的に言うと、小学校１年を過ぎると読字力は、能力が中位の子も低めの子も上限に達するため、指導を必要としなくなりますが、読解力と語彙の力は学齢期全体を通じて伸び続けるものです（National Reading Panel, 2000）。中国語の特徴を踏まえて、日本の加藤学園[6]がやっているように（幼稚園から６年まで英語 66%, 日本語 33%）（Bostwick 1999）、プログラムの当初から中国語のランゲージ・アーツ（Chinese language arts）も教えた方がよいと思われます。

教師について

教師は母語話者である必要はありませんが、目標言語を正確にまた流暢に話す力が必要です。カナダの場合はフレンチイマージョンの教師は全国どこでも仏語圏のケベック州から供給されるため、フランス語を話す教師の調達が問題になったことはほとんどありません。この点中国では事情が異なるでしょう。もし中国が英語イマージョンプログラムを大々的に導入するのであれば、英語が流暢に話せる教師の供給が必要となります。もちろん外国から

6）静岡県沼津市の私立校加藤学園暁秀初等学校が1992年に選択制で始めた日英バイリンガルコース。1994年に幼稚部を設置、その後中学部を開設（1998年）、2004年にはIB（国際バカロレア）コースを併設。英語教育史に多大な貢献をしたとして、大学英語教育学会からJACET特別賞を受賞している。

英語が母語である教師を連れてくることである程度のニーズは埋めることができるかもしれません。しかし、教師が学習者の第一言語を理解する力を持っていることは、プログラムの成功の鍵を握る重要な要因だとカナダのイマージョン教育では考えられています。中国の場合、中国語と英語に堪能なバイリンガル教師の方が、英語のモノリンガル教師よりも指導上その成功率が高い可能性があるということに留意すべきでしょう。

イマージョン／バイリンガルプログラムの理論的基盤

これまでのイマージョンプログラムの評価で一貫しているのは、社会のマジョリティグループの子どもでもマイノリティグループの子どもでも、学校の教科学習の授業のすべて、あるいはその一部をマイノリティ言語で受けても、そのためにマジョリティ言語の学力に長期的な弊害が見られないということです（カミンズ 2001 の文献の総括を参照のこと）。マジョリティ言語で受けた授業時間数と学業達成との間にほとんど（有意の）関係が見られないということは、L1 と L2 の教科学習言語能力が相互依存的な関係にあるということを示唆しています。つまり、二つの力は一つの共通の深層面の力の現れだということです。この二言語相互依存の原則を定義すると次のようになります（Cummins 1981）。

> 学校や周囲の環境の中で言語（Ly）に接触する機会が十分にあり、またその言語（Ly）を学習する動機づけが十分である場合、児童・生徒が言語（Lx）を媒体として授業を受けて伸びた言語（Lx）の力は、言語（Ly）へ転移（transfer）し得る。（p.29）

具体的にこの原則が何を意味するかというと、中国での中国語と英語のバイリンガルプログラムの場合、英語の読み書きの力を伸ばす授業は、単に英語の力を伸ばすだけではなく、同時にマジョリティ言語である中国語のリテラシーの習得に必要な、深層面の概念的、言語的な力も伸ばしているということです。言い換えると、表層面においては明らかに二つの別個の言語ですが（たとえば、発音、会話の流暢度、表記法などが異なる）、深層面では二言語が共有する認知面、教科学習言語面の力だということです。この「共有された深層面の言語能力」（common underlying proficiency）が認知・教科学習言語能力、つまりリテラシーと関係のある言語能力の転移を可能にするのです。

この相互依存の原則は、共通のルーツ（語根）を持つ二言語間（たとえば、英語とフランス語）ばかりでなく、共通面の少ない言語間（たとえば、中国語と英語）にも適応されるものです。たとえば、トロント補習授業校の日本人児童・生徒とベトナム人児童・生徒を対象としたカミンズら（Cummins et al., 1984）の研究では、二つの言語（日本語と英語、ベトナム語と英語）の間に中度の有意の関係が見られました。しかし、ジェンネシー（1987）が指摘するように、言語差の大きい二言語よりも言語差が小さい二言語の方が、言語の形態上の転移が起こりやすいため、二言語の関係がより強いことは確かです。

しかし、相互依存仮説には言語の形態上の転移以外に、いろいろな転移が含まれています。言語が置かれている社会的状況によりますが、次の5つの領域の転移が可能です。

- 概念的要素の転移（たとえば、「光合成」という概念の理解）
- メタ認知ストラテジー、メタ言語ストラテジーの転移（たとえば、視覚化、各種視覚教材、グラフィックオーガナイザーの使用、記憶法、語彙習得ストラテジーなど）
- 言語使用の語用論的な側面の転移（L2のコミュニケーションでどのぐらい危険を冒して挑戦するか、コミュニケーションを助ける

ジェスチャーなどのパラ言語をどのぐらい使用するかなど）

- 言語の形態上の転移（「光合成」の「光」の意味）
- 音韻意識の転移（単語が音で構成されているという認識）

英語と中国語の場合、言語の形態上の転移は比較的少ないでしょうが、上に列挙した言語形態面以外の領域の転移は十分予想できます。次節では、この相互依存の原則がイマージョンプログラムの教授上、どのような意味を持つか考えてみましょう。

教授上の問題

相互依存仮説の意味するところは、バイリンガル／イマージョンプログラムの教師が二言語間の転移を積極的に促進するように教えるべきだということです。フレンチイマージョンの調査をしたランバートとタッカー(1972)は、対象児の中には、対照言語学でするようにフランス語と英語の比較を試みる子どもが実際にいたと報告しています。カナダのフレンチイマージョンでは、二言語を使い分けて使用することが厳格に強いられているのです。にもかかわらず、バイリンガルプログラムやイマージョンプログラムの児童・生徒が自然に二言語の共通点や相違点に留意するようになるということは、教師がもし体系的に言語形式に注目するように児童・生徒を指導し、言語に対する気づきを促せば、それだけ子どもにとってプラスになるということです。

ただ実際に、多くのバイリンガル／イマージョンプログラムでこのような実践が行われないのは、それぞれの言語をはっきり切り離して使用するということが、まるで疑う余地のない自明の公理のように受け止められているからです。教師も同様で、授業では目標言語のみを使って教えるべきだと思い込んでいるL2教師（カナダの場合はフランス語）が多いのです。

彼らは、コミュニケーション重視の言語教育を直接法の一種であるかのように解釈して、目標言語の使用を強要、学習者のL1の使用を一切禁じるのです。教師、または学習者によるどんなL1使用もすべて、悪評高い文法・翻訳法（grammar translation method）への逆戻りと解されてしまうのです。

次に示すイマージョンプログラムの３つの指導方針を見ると、このようなモノリンガル指導方針がいかに支配的であるかが分かるでしょう。どれも実証的研究によって支持されている指針ではありません。

- 授業は、対象児のL1に頼ることなく目標言語のみで行うこと。バイリンガル辞書も使わないように指導。（つまり「直接法」が前提）
- 言語やリテラシーの指導で、L1からL2へ、L2からL1への翻訳は一切行わないこと。外国語教育では訳すということが悪名高い文法翻訳法への逆戻りと見なされ、バイリンガル／イマージョンプログラムでは、不名誉な同時通訳法（教師が頻繁に言語のスイッチをして主だった指導内容すべてに逐次訳を与えること）と同じだと解釈される。
- イマージョン／バイリンガルプログラムでは二つの言語をはっきり区別して使うこと（つまり「二つの孤独」が前提[7]）

以上のような「モノリンガル教授ストラテジー」の前提から解放されて、二言語間の転移や言語への気づきを積極的に促進する「バイリンガル教授ストラテジー」に切り替えれば、L1とL2のリテラシーを促進するさまざまな可能性が出てきます。L1とL2のリテラシーの関わりを同時に高める

---

7)「二つの孤独」とは、カナダの作家Hugh MacLennanの小説『二つの孤独』（1945）に因るもので、カナダのイギリス系カナダ人とフランス系カナダ人の間のコミュニケーションの欠如、コミュニケーションを取る意欲の欠如、を喩えとして使って、二言語間の関係を持つことを拒否した指導法のことを指している。

ためのバイリンガル育成ストラテジーの例としては、次の二つをあげることができます。

二言語マルチメディア・ブックや各種アイデンティティ・テキストの創作活動

アイデンティティ・テキストとは、L1とL2の両方の言語を使って児童・生徒が書いたバイリンガルの自由（創作）作文の総称で、テクノロジーを駆使して強化拡張したものです（たとえばDual Language Showcase〈http://thornwood.peelschools.org/Dual/〉やMultiliteracies web site〈www.multiliteracies.ca〉を参照のこと）。このようなバイリンガル作文が強力な刺激剤になって、真の目的のために長文の文章を書くようになったり、訳すという活動を通して言語間の類似点や相違点に気づくようになったりするのです。どうしてアイデンティティ・テキストと呼ぶかというと、それは、子どもが作文や美術作品の創作に自らのアイデンティティを投資して取り組むからです。形式は、文章でも、口頭発表でも、ドラマでも、映像でも、ミュージカルでも、またそれらをいくつか組み合わせたものでもかまいません。作品を生み出すプロセスと出来上がった作品が、自分のアイデンティティを前向きの形で映し出す鏡のような役割を果たすのです。またアイデンティティ・テキストをさまざまな聴衆（同級生、教師、両親、祖父母、姉妹校、メディアなど）に見てもらうことによって、前向きのフィードバックをもらうことが多く、またこの大勢の聞き手とのインターアクションを通して自分自身を肯定的に受け止められるようになるのです。

姉妹校・姉妹クラスとの交流

テクノロジーを使った姉妹校・姉妹クラスとのやりとりの中で、L1とL2の両方を使った作文や作品の交換をしたり、また彼ら自身にとって意味のあるトピックやコミュニティにとって意味のあることについて調べたりすることもできます（たとえば、「地域社会の社会史」、「地域のお年寄りの声を聞く」など）。また姉妹校・姉妹クラスと協力して一つの映画やCDを作ったり、多言語を使ったホームページを構築したりすることもできます（中国語／英語の姉妹クラスについては、Ng（2006）を参照のこと）。

終わりに

結論として、フレンチイマージョンプログラムは、ほかのどのバイリンガルプログラムでも同じですが、決して固定化された静的なモデルではありません。いまだに議論が必要な多くの組織上の問題、教授上の問題を抱えており、まだまだ改良の余地が十分あるのです。学校教育でもまた大学レベルの高等教育でも決して一つの「最高のモデル」（"best model"）があるわけではありません。現在、中国でさまざまな形態の中国語と英語のバイリンガル教育が試みられていますが、新しい学校組織のあり方や教授ストラテジーを実験的に試すことも、またその結果を研究の一貫としてモニターすることも重要です。特にカナダでも中国でもそうですが、第二言語習得一般の前提となっている既成概念、特にイマージョン教育の前提となっている固定概念に対してそのような実験が行われるべきでしょう。たとえば、訳すという作業が、強い動機づけに裏づけされた作文活動の中で行われれば、言語に対する子どもの気づきを伸ばすのに非常に役立つことがすでに分かっています。同じく、モノリンガルアプローチで指導すべきだというイマージョンプログラムの固定概念は、言語間の転移の実態と矛盾しているのですから、バイリンガルアプローチの指導ストラテジーと取り組むことには大きなプラスがあるはずです。

引用文献

Bostwick, R. M. (1999). *A Study of an Elementary English Language Immersion School in Japan.* Doctoral dissertation, Temple University, Philadelphia.

Cummins, J. (1981). The role of primary language development in promoting educational success for language minority students. In California State Department of Education (Ed.), *Schooling and language minority students: A theoretical framework.* Evaluation, Dissemination and Assessment Center, California State University, Los Angeles.

Cummins, J. (2001). *Negotiating identities: Education for empowerment in a diverse society. 2nd Edition.* Los Angeles: California Association for Bilingual Education.

Cummins, J., Brown, K., & Sayers, D. (2007). *Literacy, technology, and diversity: Teaching for success in changing times.* Boston: Allyn & Bacon.

Cummins, J., Swain, M., Nakajima, K., Handscombe, J., Green, D. & Tran. C. (1984). Linguistic interdependence among Japanese and Vietnamese immigrant students. In C. Rivera (Ed.) *Communicative competence approaches to language proficiency assessment: Research and application.* (pp.60-81). Clevedon, England: Multilingual Matters.

Genesee, F. (1987). *Learning through two languages: Studies of immersion and bilingual education.* Cambridge, MA: Newbury House.

Harley, B., Allen, P., Cummins, J. and Swain, M. (1991). *The development of second language proficiency.* Cambridge, UK: Cambridge University Press.

Johnson, R.K. & Swain, M. (1997). *Immersion education: International perspectives.* Cambridge, UK: Cambridge University Press.

Lambert, W.E. and Tucker, G.R. (1972). *Bilingual education of children. The St. Lambert Experiment.* Rowley, MA: Newbury House.

MacNamara, J. (1966). *Bilingualism and primary education.* Edinburgh: Edinburgh University Press.

Malherbe, E.G. (1946). *The bilingual school.* Johannesburg: The Bilingual School Association.

Ng, W.Y. (2018). *Multiliteracies in the Context of a Sister Class Project: Pursuing New Possibilities in Second Language Education.* Doctoral Thesis, OISE/University of Toronto.

Rebuffot, J. (1993). *L'immersion au Canada.* Anjou, Quebec: Centre Educatif et Culturel inc.

Skutnabb-Kangas, T. (1984). *Bilingualism or not: The education of minorities.* Clevedon, England: Multilingual Matters.

Swain, M. (1975). Writing skills of grade three French immersion pupils. *Working Papers on Bilingualism,* 7, 1-38.

Swain, M. & Lapkin, S. (1982). *Evaluating bilingual education.* Clevedon, England: Multilingual Matters.

第3章

マイノリティ言語児童・生徒の学力を支える言語心理学的、社会学的基盤

Jim CUMMINS

バイリンガル教育という用語は、基本的には学齢期のある時点で二つ（あるいは二つ以上）の言語を授業言語として使って学習をすることを意味します。言語そのものの学習ではなく、教科学習のツールとして二言語を使うのです。この一見いとも簡単なことが、社会学、政治学、社会言語学、心理学、経済学上のさまざまな要因やまた行政上、教育上の課題によって極めて複雑な様相を呈することになるのです（この点に関する詳しい議論は、Skutnabb-Kangas 1981, 2000 を参照のこと）。

バイリンガル教育の社会的、政治的な側面とは、税金で賄われる公立の学校教育機関の中である特定の言語を授業言語として使うことが、その言語とその話者集団に社会的な認識と社会的地位を与えることになるということです。その結果バイリンガル教育プログラムが、政治的に中立な立場を失い、社会集団間の有形無形のリソースに対する国内外の争奪戦に関わることになるのです。

バイリンガル教育が、社会の主要グループの利益のために設置されている限りは、論争の種になることはほとんどありません。たとえばカナダでは、イギリス系カナダ人（Anglophone）がフランス語を習得するために設置されているフレンチイマージョンが問題視されることはありませんし、ケベック州以外でも、マイノリティであるフランス系カナダ人（Francophone）のフランス語保持のためのプログラムが議論の的になることもほとんどありません。どちらも公用語を話す英語系カナダ人とフランス系カナダ人の利益につながるものだからです。ところが、英仏以外の言語となると、バイリンガルプログラムはかなり稀な存在になってしまいます。この点ヨーロッパでも同じで、それぞれの国でその地位が公的に認められている、いわゆる国家的マイノリティ言語はともかくとして、移住者集団のために設置されたバイリンガルプログラムとなると、ごくわずかしか存在しないのです。

言語的少数派の児童・生徒のためのバイリンガルプログラムは、概して言語心理学的な観点からその反対論が正当化されてきました。よく言われることは、マイノリティ言語を母語とする児童・生徒が学校教育の中で成功するためには、どうしても多数派の言語、つまり社会の主要言語を流暢に話し、その読み・書きにも堪能になる必要があるということです。そのためには主要言語への最大限の接触が必要であり、学校の授業の一部に母語を使用するバイリンガル教育は主要言語への接触量を減らす「不合理」(illogical) な取り組みだとして却下されてしまうのです。そして、この議論は、多くのマイノリティ言語集団の保護者によっても支持されます。社会の主要言語こそ権力に直結した言語であり、社会的地位の向上のために必要不可欠な言語として自分の子どもたちに何はさておいてもマスターさせたいと思うからです。

しかしながら以上のような議論は、国際的な文脈でバイリンガル教育の実証的研究に携わる国内外の研究者の間で支持されているものではありません（例：August and Shanahan 2006, Cummins 2001, Genesee, Lindholm-Leary, Saunders and Christian 2006, Mohanty 1994, Skutnabb-Kangas 2000, Portes and Rumbaut 2001)。次節ではまずバイリンガル教育の実証的な研究成果とはどのようなものかについてまとめてみましょう。

1. バイリンガル教育プログラムの一般的な成果

どのような形態のバイリンガル教育にも共通して言えることは、二言語を使用して授業を受けても、長期的に見て、社会の主流派の言語の学力にマイナスの影響は出ないということです。このようなバイリンガル教育プログラムの一般的成果は、マジョリティ言語グループのためのプログラムであっても、またマイノリティ言語グループのためのプログラムであっても同じ結果が見られますし、またさまざまな社会言語学的、社会政治的な状況におかれている二言語でも、多種多様な形態のバイリンガルプログラムでも同じです。このほかバイリンガルプログラムの成果として特記すべきことは次の3点です。

①第一言語(L1)と第二言語(L2)の学習言語の伸びに有意の関係があること。

二言語間の有意の関係は、たとえばスペイン語とバスク語、英語と中国語、オランダ語とトルコ語などのように、言語差が大きい二言語間でも同じように見られるものです。このような関係が見られるということ自体、**共有基底言語能力**(common underlying proficiency、あるいはジェネシーら[Genesee, Lindholm-Leary, Saunders and Christian, 2006]が提唱する二言語にまたがる**共通言語能力貯蔵庫**(a cross-linguistic reservoir of abilities))の存在を実証するものです。このような共有面があるからこそ、教科知識や概念知識の転移が可能になり、各種技能、ストラテジー、知識の転移が起こるのです。この転移のおかげでマイノリティ言語児童・生徒が、マイノリティ言語を使って学校の授業を受けても、マジョリティ言語の伸びにマイナスの影響が見られないのです。

②もっとも成功率の高いバイリンガルプログラムとは、バイリンガリズムとバイリテラシーの両方を目標として掲げるものである。

L1とL2のリテラシーを短期間で伸ばそうとする短期移行型のバイリンガルプログラム（transitional program）は、小学校6年間にわたって継続して両言語のリテラシーを伸ばそうとする二重言語プログラム（dual language program）と比べると、その成功率が低くなります。

③マイノリティ言語児童にとって、社会の主流派の言語のみを使用したモノリンガル教育よりも、バイリンガル教育の方がL2リテラシーを伸ばすのにより効果的ではあるが、それだけで低学力の問題の解決になるわけではない。

米国ブッシュ政権のもとに設置された英語学習者（ELL, English Language Learners）の教育に関する実証的研究をまとめた『言語的マイノリティ児童・生徒に関するナショナル・リテラシー・パネル』（*The National Literacy Panel on Language-Minority Children and Youth*）は、マイノリティ言語児童・生徒の英語の学力獲得上プラスに働くのは、バイリンガルによる指導だと結論づけています（August and Shanahan, 2006）。また同じような結果が、最近の文献研究でも報告されています（例：Genesee et al., 2006）。これら二つのもっとも包括的な文献研究の成果は、次の二つの引用を見ても明らかです。

> 学校教育の中でELLが成功するかどうかは、どのぐらい第一言語（L1）を使用して教科学習をするかということと有意の関係がある点で一致している。（中略）これまでの多くの縦断的研究がバイリンガルプログラムに在籍する期間が長ければ長いほど、それだけ成功する率が高かったと報告している（Lindholm-Leary & Borsato, 2006, p.201）。

要するに、マイノリティ言語児童でも継承語学習者でも、またスペイン語のイマージョンプログラムでも、バイリンガル指導そのものが母語または英語の学力低下を招くという傾向は全く見られなかった。明らかに違いが見られたのは、バイリンガルプログラムの方がおしなべて有利だということである。各種バイリンガルプログラムのメタ分析の結果を見ても、バイリンガルプログラムの方が中位の優位性を示している。この結論はこれまでのすべての研究でも、また諸条件によってランダムに被験者を抽出した下位研究でも言えることである（Francis, Lesaux & August 2006, p.397）。

以上をまとめて言えることは、どのバイリンガル教育研究でも例外なく、学校で主要言語で学ぶ授業時間数と子どもの学力とは関係がないということです。事実、一般的な傾向としては、マジョリティ言語の学習時間とマイノリティ言語児童の学力との間には「逆の関係」が見られるのです。

しかし一方、バイリンガル教育だけでマイノリティ言語児童の学習困難が解決されるわけではないということも明らかです。低学力は、複数の要因によって生じるものですし、もちろんL1による指導がそのいくつかの要因と関わりがあることは確かですが（たとえば、マイノリティ言語児童の母語や母文化に対する一般社会の価値づけの低さなど）、低学力そのものを覆すには学習言語の選択以上の数多くの問題が関係してくるのです。

マイノリティ言語児童の学力向上を目指した言語計画を立てるためには、まず上に述べたような一連の研究成果のパターンの基盤となっている言語心理学的、社会学的原則について理解する必要があります。次節で、この課題と関係のある言語心理学的原則について述べたいと思います。

2. マイノリティ児童・生徒の学力獲得の基盤となる言語心理学的原則

さまざまな社会的状況における多岐にわたる実証的研究によって支持されている言語心理学的原則は、次の３点です。

①学力達成のために必要となる教科学習言語能力は、日常的な会話のやりとりで必要とされる言語能力と大きく異なる。

全学年を通じて教科学習言語能力を継続して伸ばすためには、対人関係で必要とされるコミュニケーションの力の範囲をはるかに越えた、語彙、文法、談話に関する知識を伸ばす必要があります。

②バイリンガル児の場合、学校の中で両言語のリテラシーが促進されてはじめて教科学習言語間の転移が起こる。

バイリンガルプログラムのマイノリティ児童・生徒は、学校で社会の主要言語のみを使って学ぶモノリンガルプログラムの児童・生徒と比べて、授業時間が少ないにもかかわらず同程度の成績を上げているという、このほぼ普遍的な研究成果は、教科学習言語能力の相互依存的関係、つまり二言語間の転移によって説明できるものです。

③学齢期に継続して両言語を伸ばすことによって可能となる"加算的バイリンガリズム"は、知的な面でもまたメタ言語面でもプラスの影響をもたらす。

これは、バイリンガル児が言語使用の練習をより多く積むことになり、また言語使用の機会が増えただけ、知的集中力や言語機能に関する気づきが高まるからです。

以上の３つの原則についてさらに詳しく説明すると、次のようになります。

言語能力と学力の伸び

言語的マイノリティの学力の伸びのパターンを理解するためには、次の3つの言語面を区別して考える必要があります。3つの言語面とは、(a)会話の流暢度、(b)弁別的言語能力、(c)教科学習言語能力です。どうしてこの3つの区分が必要かというと、マイノリティ言語児童でもまたマジョリティ言語児童でも、それぞれの言語面によって異なった発達の軌跡が見られ、学校での指導に対して異なった反応を示すからです。

(a) 会話の流暢度　言語能力のこの面は、日頃馴れ親しんでいる日常的な状況で1対1の対話をする力です。どの言語の母語話者でも大体このレベルの会話力は、学齢期の初め、つまり5歳ぐらいまでに習得するものです。しかし、この会話力は使用頻度数の高い語彙や比較的簡単な文法で成り立っているもので、学力獲得に必要な言語能力のごく一部しか含まれていません。このため、すべての児童・生徒にとって学校教育の中心課題は、少なくとも10年ぐらいかけてどうやって初歩的な会話力から教科学習に必要なさまざまなレジスター（教科学習に必要な特殊な談話形態）を獲得するところまで伸ばせるかということになります。マイノリティ言語児童の場合は、学校や地域での接触を通して（たとえば、テレビなどを通して）主要言語への豊かな接触があれば、普通1年ないし2年で年齢相応の会話の流暢度が習得されますが、主要言語への接触が学校内に限られる場合にはもっと長い時間が必要となります。

(b) 弁別的言語能力　弁別的言語能力とは、一般的なルールを一度習得すれば他のケースへの応用が可能になる規則性のある言語面（音声、文法、スペリングを含む）を意味します。弁別的言語能力を伸ばすには二つの方法があります。一つは、①直接指導（たとえば、体系的かつ明示的にフォニックス指導をすること）であり、もう一つは、②家庭や学校の豊かな言語環境、リテラシー環境に子どもを浸ける、いわゆるイマージョン方式です。豊かな言語環境とはどんな環境かというと、ことばによって意味が明確に表現されると同時に、書き言葉（たとえば、本のページの中の文字など）に子どもの注意を喚起するような環境のことです。実際問題としては、①と②の二つの組み合わせが最大の効果を生むようです。豊かな言語環境、リテラシー環境の家庭で育つ子どもは、低学年の間に、音韻意識、文字と音との対応など、リテラシーの初期段階で必要となる弁別的言語能力のスキルを問題なく自然に習得するのが普通です。

第二言語（L2）で授業を受ける児童は、基礎的な語彙や会話の流暢度を伸ばしつつ弁別的言語能力も同時に習得することが可能です。しかしながら、会話力からたとえば言語構造に関する概念や語彙、単文や単語の記憶力など、ほかの言語面への直接的な転移はほとんど観察されていません(Geva, 2000)。同じような結果が、オランダのマイノリティ言語児童の研究（Verhoeven, 2000）でも、カナダのフレンチイマージョンの英語母語話者児童でも報告されています（Lambert & Tucker 1972)。

(c) 教科学習言語能力　教科学習言語能力とは、使用頻度数の低い語彙に関する知識や徐々に複雑になっていく文章を解釈したり書いたりする力を含む言語面です。学年が上がるにつれて低頻度の語彙、より複雑な構文が増え(たとえば英語の場合には受け身形など)、日常会話ではほとんど触れることのない抽象的な表現に遭遇するようになります。文学作品を読むとか、社会科、理科、算数・数学などの教科学習では、言語的にも概念的にも高度な内容の教科書やテキストを読んで理解すると同時に、教科学習言語能力を駆使して正確でまとまりのある文章を書くことが必要とされるのです。

これまでの多くの研究によって、言語的マイノリティがその社会の主流派の言語の学年相応の教科学習言語能力を獲得するのに、少なくとも５年は必要（それよりもかなり長くかかることもよくある）と言われています（Cummins 2001の文献総括を参照）。つまり、学年相応のレベルに「追いつく」までの道程が、会話の流暢度や弁別的言語能力とはかなり異なるということです。習得しようとする教科学習言語そのものが複雑であることもさることながら、マイノリティ言語児童が追いつかなければならないのは動く的だということです。主流派言語を母語とする児童・生徒は、読み書きの力でもまた語彙の習得でも年齢とともに教科学習言語能力面で大きな進歩を遂げます。米国のある推計によると、マイノリティ言語児童が6年間で学年相応のレベルにまで到達しようとするのなら、1学年10カ月の間に15カ月分の進歩を遂げないと追いつかないといいます。これに対して、英語母語話者児童の方は、1学年10カ月分の進歩をすればそれで十分なのです（Collier & Thomas 1999）。

このように、言語能力の3つの面を区別することは、それぞれの面が異なった発達の経路を辿ること、またそのために指導上の意味合いも異なることからたいへん重要です。特に教科学習言語は、主として本（教科書も含む）の中や授業中に使われるものですから、多読を奨励してこの面の言語能力へのアクセスを可能にすることが大事です（Krashen 2004, Krashen & Brown 2007参照）。またさまざまなジャンルの作文を多量に書くこと（extensive writing）を奨励することも、教科学習言語を受け身ではなく積極的に使いこなす自律学習の力を養う上でも極めて重要になります。

言語相互依存説

第2章に言語相互依存説の定義を示しましたが、マジョリティ言語で受ける授業時間数と学力との間に有意の関係がほとんど見られないということは、L1とL2の教科学習言語が相互依存的な関係にあるということを示しています。つまり、二つの力は一つの共通の深層面の力の現れだということです。

具体的にこの原則が何を意味するかというと、第2章p.78に述べたように、たとえばスペインのバスク自治州のバスク語とスペイン語のバイリンガルプログラムで児童がバスク語の読み書きを習うということは、単にバスク語の力を伸ばすだけではなく、同時にマジョリティ言語であるスペイン語のリテラシーの獲得に必要な、より深い概念的、言語的な力も伸ばしているということです。言い換えると、表層面においては明らかに二つの別個の言語ではありますが（たとえば、発音、会話の流暢度、表記法などが異なる）、深層面では両言語が共有する認知面、教科学習面の言語能力があるということです。この「共有基底言語能力」（common underlying proficiency）が認知・学習言語面、つまりリテラシーと関係のある言語能力の異言語間の転移を可能にするのです。

この言語相互依存説を裏づける実証的研究は多岐にわたりその数も多いのですが、その中でもっとも総括的な文献研究は、前節で紹介した『ナショナル・リテラシー・パネル』（August & Shanahan, 2006）の中のドレスラー&カミル（Dressler & Kamil, 2006）の論文です。彼らは次のような結論を出しています（p.222）。

> 文献を総括して言えることは、いずれの研究においても、バイリンガル児の読解力の二言語間の転移が実証されているということである。二言語の相互依存的関係は、(a)言語体系が異なる異言語間でも、(b)小学生、中学生、高校生などの年齢差にかかわらず、(c)英語を外国語として学ぶ場合でも第二言語として学ぶ場合でも、(d)時間とともに(over time)、(e)第一言語から第二言語へ、また第二言語から第一言語へと、双方向の転移が見られたのである。

第2章p.79に書いたように、社会的状況によって言語の形態上の転移にとどまらず、5つの領域の転移が可能です（この点に関する実証的研究のまとめについては August & Shanahan 2006 を参照のこと)。

言語相互依存説で指導上もっとも大事なことは、異言語間の知識や技能の転移の促進をはっきり意図した指導が必要だということです。このような「バイリンガル指導ストラテジー」の推進は、より適した方法としてこれまでのイマージョン/バイリンガル教育ばかりでなく、第二言語教育でも認められてきた「モノリンガル指導ストラテジー」に真っ向から挑戦するものです（Cummins, 2007, Phillipson 1992)。

加算的バイリンガリズムの利点

加算的バイリンガリズムが児童・生徒の言語面、認知面、学力面の伸びと関係があるということは、過去ほぼ 40 年にわたって、200 点近くの実証的研究で報告されています。もっとも共通して指摘されている加算的バイリンガリズムの利点は、言語構造や言語機能に対する気づき（メタ言語認識）がより発達すること、第三、第四外国語の習得においてより有利だということです。**加算的バイリンガリズム**という用語は、児童・生徒が母語の認知面、教科学習言語面を継続して伸ばしつつ、その上に知的な道具として第二言語を加えていく、というバイリンガリズムの一つの形態を意味します。

このような加算的バイリンガリズムの一般的特徴は、モハンティが 1978 ～ 1987 年にかけてインドの Orissa で行った一連の調査でも明らかです。モハンティ（1994）の大規模調査は、Orissa の主要言語である Oriya 語とさまざまなレベルの接触を持つモノリンガル児と Konds 部族のバイリンガル児を対象に行ったものです。

モノリンガル児は、もともとは Konds 部族の言語である Kui 語話者でしたが、すでに Oriya 語しか話さず、Oriya 語モノリンガリズムへと移行した地域の子どもたちです。その他の子どもたちは、Kui 語が主な家庭言語ではありますが、学校に上がるまでに近所の大人や同年齢の子どもとの接触を通してかなり安定したKui語とOriya語のバイリンガルになっている子どもたちです。学校ではOriya語が学習言語として使われています。

以上の二つの言語グループは、生活言語は異なるものの、Konds人としてのアイデンティティや社会経済的・文化的特徴において、かなり等質のものを持っています。このことは、Oriya語モノリンガルのKonds部族がKui語を自分たちの母語と認めていること、Oriya語モノリンガルもKui-Oriya語バイリンガルも自らをKui人と呼ぶこと、また両者が形成する社会組織をKui Samaji（Kui社会）と呼ぶことなどを見ても明らかです。

モノリンガルグループとバイリンガルグループの比較は、社会的、政治的、経済的諸要因が加わるために比較が難しいのが普通なのですが、Orissaのモノリンガルグループとバイリンガルグループは、それらの諸要因と切り離して加算的バイリンガリズムそのものの影響を調べる上で、またとない機会を与えてくれます。モハンティの研究は、明らかにバイリンガリズムとメタ言語力も含む認知力との間にプラスの関係があることを示しています。モハンティはバイリンガル児の言語意識が高まり、認知ストラテジーが強化されたのは、二言語を使い分けなければならないという複雑な対人コミュニケーションの環境に投入され、そこでバイリンガル能力を伸ばすにいたった結果ではないかと言っています。

3. マイノリティ言語児童の学力の伸びに関わる社会学的原則

民族性と学力との関係については、社会学者や文化人類学者による膨大な研究があります（例：Bankston and Zhou 1995, McCarty 2005, Ogbu 1978, 1992, Portes and Rumbaut 2001, Skutnabb-Kangas 2000）。これらの研究によると、マイノリティグループの学力獲得パターンの中核にあるのは社会的力関係だということです。長期にわたって低学力を経験したグループは主流派の手によって有形無形の暴力に何世代にもわたって晒されてきた経緯があるのです。ということは、低学力を逆方向に転換するためには、教師が個人あるいは教師集団として、マイノリティグループや被支配グループの子どもとの教室の中のインターアクションを通して、不平等で抑圧的な力関係に挑戦しなければならないのです。学校という組織の中で抑圧的な力に挑戦するということは、同時に学校外の一般社会の中のより普遍的な抑圧的力関係に直接挑戦することにもつながるのです。この点について次に詳しく述べましょう。

ラッドソン－ビリングス（Ladson-Billings 1995）はいかに抑圧的な力関係がアフリカ系アメリカ人（米国の黒人）の教室内のあり方に影響を与えているかということに対して、次のような簡潔で的確な指摘をしています。「アフリカ系アメリカ人児童・生徒が直面する問題は、学校内でもまた世間一般でも自分たちの文化が常に低く見られているということである」(p.485)。

自らのアイデンティティがこのように学校と社会で低く評価されることは、多くのマイノリティ言語児童にオグブ（1992）の言う“敵対的なアイデンティティ”(oppositional identity)を強いることになります。オグブは、自分の意志でマイノリティになった**自発的マイノリティ**（voluntary minorities）と、自分の意志に反して強制的にマイノリティになった**非自発的マイノリティ**（involuntary minorities）とに対して次のような比較をしています。よりよい経済的チャンスや政治的自由を求めて自ら望んでホスト国に移動してきた自発的マイノリティと比べて、非自発的マイノリティは、往々にして意志に反して強制的にホスト社会に組み入れられてしまうことがあります（たとえば、征服、奴隷、植民地など）。自発的マイノリティあるいは移住者マイノリティは、状況によっては、学校の成績もよく、ホスト社会への文化的適応もかなり容易に進む場合もあります。これとは逆に、非自発的マイノリティの場合は、物質的なリソース（たとえば仕事、適切な学校教育、住いなど）のアクセスに明らかな差別があるのと同時に、一般社会の彼らのアイデンティティに対する過小評価のために、長期的な学力不振に陥るケースが多いのです。オグブによると、学業への前向きの努力からの遊離は、支配者グループの（不当な）扱いに対する抵抗として非自発的マイノリティグループが持っている敵対的なアイデンティティと相互依存的関係にあるということです。

以上のようなオグブの分析は、社会的力関係がどのような働きをするかについて一般的な傾向を指摘することに役に立ちますが、一部修正が必要です。それは自発的マイノリティと非自発的マイノリティとに二分することによって、その中間に存在するさまざまな非自発的マイノリティのケースが無視されてしまうということです。たとえば、世界の多くの国が抱える移民労働者や難民は、オグブの自発的／非自発的グループの分類の中間的な存在のように思われます。彼らは自らの意志でよりよい経済的、政治的機会を求めて移動しますが、ホスト国の社会構造の一部になることが否定されてしまうことが多いのです（たとえば就業上の差別、住居や学校における差別など）。そうなるとその二世と子孫は、非自発的マイノリティと同じ特徴を持つようになり、“単純労働に甘んじ、主流社会への真の参加が否定される”ことになるといいます（Ogbu 1992, p.8）。ホスト社会はマイノリティグループが言語的にも文化的にも同化することを強要する一方で、主流社会からは疎外するのです（Schermerhorn 1970）。

ポルト＆ラムバウト（Portes and Rumbaut, 2001）も**対抗的民族性**（reactive ethnicity）という用語を使って、上のような否定的な結果を説明しています。対抗的民族性とは、「その土地の敵対的な主流社会との衝突の結果生まれるもので、差別に対する自己防衛のためのアイデンティティとそれと対抗するために生まれる連帯意識」と定義しています（2001, p.284）。彼らは5,000人以上の移住二世児を対象に文化適応に関する大規模調査を縦断的に行った結果、「主流社会への反抗に根ざす若者特有の団結は、学校教育も含む主流社会の組織に対して敵対的な態度を生む」（p.285）という指摘をしています。この対抗的民族性あるいは敵対的アイデンティティの一つの現象は、学校の勉強からだんだんに遠ざかることです。同じような例がアジアにもあります。それは日本の部落民の多重構造差別の結果生じた伝統的な低学力の問題です（Ogbu 1978, Shimahara. 1991, Skutnabb-Kangas, Phillipson, Minati and Mohanty. 2009）。ちなみにShimaharaは、1960年以降部落民が社会的に流動化したことと、日本の経済的興隆との組み合わせのために、部落民の社会的、教育的平等にかなりの前進が見られたという指摘をしています。

ポルト＆ラムバウト（2001, p.190）は、文化変容（acculturation）と学力獲得の調整役としての**アイデンティティの交渉**の役割を強調しています。移住者の子どもたちは、社会の最も新しいメンバーであるから、自分たちは何者か、自分にとって意味のある居場所はどこかというような問いかけは避けては通れないのです。ポルト＆ラムバウトの研究は、子どもの自尊精神にもまた学力にも一貫してプラスの影響があった文化変容のあり方は、彼らが**選択的文化変容**（selective acculturation）と名づけたものだということを強調しています。完全に同化してしまうこと（full assimilation）は、親の文化的な価値規範を無視し、家庭言語の保持を断念せざるを得ない状況に子どもを追いやりますが、"選択的文化変容"は文化的シフトの速度を緩め、家庭言語と親の価値規範を部分的に保持することを可能にするといいます。ポルト＆ラムバウトはこの研究成果を次のようにまとめています（2001, p.274）。

> われわれの縦断的研究は一貫して「選択的文化変容」の利点を示している。「選択的文化変容」は、高度のバイリンガリズムの保持と密接に関わり、そのためにより高い自尊感情、将来の教育や職業への期待、より高度な学力獲得とも関係するのである。（中略）自国のものを失わずに新しい国の言語と文化を習得した子どもたちは、新しい世界での自らの居場所に関する理解でも優れているのである。（中略）選択的文化変容は、その社会の主流派言語の同年齢の母語話者に受け入れてもらおうとして自らの過去を断ち切ってしまう若者には見られない、文化適応に成功するために必要な世代間の連携を創り出すのである。

以上のようなポルト＆ラムバウトの研究成果をはじめとして、その他の研究（たとえば、Bankston & Zhou 1995）では、家庭言語リテラシーや学力獲得へのバイカルチュラルアプローチの利点を示しており、学校が積極的に子どもの家庭言語の力を伸ばすことを奨励し、子どもたちが自らの継承文化に誇りを持つように指導すべきだということを示唆しています。学校の中で教師が児童・生徒とどのようなアイデンティティ交渉の関わり方をするかによって、子どもの学習に対するやる気を興させたり、逆に学習から遠ざけたりするのです。つまり、教師の子どもとの関わり方がそれほどの影響力を持っているということです。これら、社会の力関係と、アイデンティティ交渉と、マイノリティ言語児童の学力獲得との関係を図式化すると、図６のようになります（カミンズ 2001 より作成）。

要するに、マイノリティ集団や被支配者集団の児童・生徒に対する効果的な教育のあり方とは、学校の中で彼らのアイデンティティを肯定的に受け止めることを通して、社会一般の抑圧的な力関係に挑戦することです。

社会的力関係が
教師の自らの役割を決定し(教師のアイデンティティ)、
そして
学校の組織づくり(カリキュラム、経済的サポート、評価など)
に影響を与える。

そのことが教師の言語的・文化的多様な背景を持つ児童・生徒との
交流のあり方を決める。

この交流が
対人空間(インターパーソナルなスペース)を形成し
その中で児童・生徒の学習が起こり
また
アイデンティティの交渉が起こる。

このアイデンティティの交渉が
抑圧的な力関係を助長する場合もあるし、
また
協働的な力関係を促進する場合もある。

図6　社会的力関係とアイデンティティの交渉と学力

この枠組みの教育の中核にあるのは、子どもをエンパワーすること、つまり教師と児童・生徒の間に協働的な力関係を創り出すことです(Cummins, 2001)。教師と児童・生徒との間のインターアクションの中で、児童・生徒の(また教師の)言語的、文化的、知的アイデンティティが肯定されると、学校で成功することにも自信が持てるようなパワーが生まれてくるのです。また子どもの家庭言語を授業の媒介語として使うことによって、バイリンガル教育が抑圧的な力関係に対する挑戦になるし、また子どものアイデンティティの肯定にもつながるのです。しかしながら、彼らが学校教育で成功するためには、バイリンガルプログラムの中で両言語のリテラシー指導が効果的になされなければなりません。以下に複数言語環境における効果的なリテラシー教育の重要なポイントを示しておきたいと思います。

マルチリンガル環境におけるリテラシー教育——教育学的枠組み

図7は、リテラシーとの関わり度（literacy engagement）とリテラシー到達度（literacy attainment）との直接的な関係を示したものです。この図は文化的、言語的に多様な背景を持つ学習者がL2習得の初期段階からリテラシーとの関わりを持つ上で中核となる条件を示しています。次節の説明で分かるように、この枠組みの中にはバイリンガル教授ストラテジーと言語間の転移を目指した指導がしっかり組み込まれています。

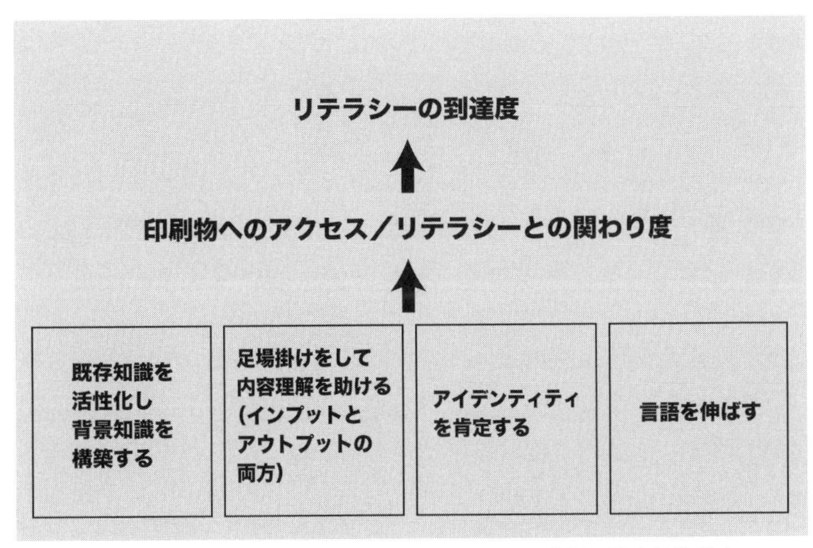

図7　マルチリンガル環境におけるリテラシー獲得の教育的枠組み

印刷物へのアクセス／リテラシーとの関わり度

国際学習到達度調査（PISA, Program for International Student Assessment）によると、リテラシーに積極的に関わることこそが学校で成功する基本的な要件であるといいます。たとえば、30カ国近くの15歳児を対象としたPISAの読解力調査によると、「生徒の読みとの関わり度が社会経済的背景よりもより強いリテラシーの予測要因であり、読みに対する興味を培うことこそ、教育的に不利な家庭環境を克服する一助となることが分かった」そうです（OECD 2004, p.8）。

リテラシーへの関わりは、どのぐらい本や印刷物へのアクセスがあるかに明らかにかかっており、リテラシー獲得の主要因とする観点から印刷物へのアクセスを研究したものもあります。たとえば100以上の文献のメタ分析を行った最近の研究は、印刷物へのアクセスと読みとの関わりの重要性を確認して次のような結論を出しています。「これら‘厳密’な研究から得られた結果に対してさらにメタ分析を行ってみたところ、子どもの印刷物へのアクセスが、特に読みに対する態度、萌芽期の読みのスキル、読み行動で、子どもの読みに対する行動面、教育面、心理面の主要因となっていることが分かった」（Lindsay 2010, p.85）と言っています。

ガスリー（Guthrie, 2004）は、リテラシーとの関わりには次の3つの主要な構成要素があるといいます。

- 読みと書きの量と幅
- テキストの深い理解のために必要な効果的なストラテジーの使用
- 読み書きに対する前向きの姿勢とアイデンティティへの個人的投資

人間の生活の中には、たとえば、自転車に乗るとか、車を運転するとか、料理するなど、実際にやってみることがそのスキルを伸ばす鍵になるものがあります。「車の運転にしても、タイプにしても、初めの段階でレッスンを受けることは確かに価値があるが、実際には自分でやってみることによってそのスキルが上達するものである」とガスリーは言っています（2004, p.8）。

学校教育の中で育つリテラシーは、ギー（Gee 1990）が**第二次ディスコース**（secondary discourses）と呼ぶものと原則的には同じです。第一次ディスコースとは、家での一対一の対話を通して習得されるもので、人生のはじめの段階の社会性獲得の過程で習得されるものです。第二次ディスコースは、家庭の枠を越えてさまざまな社会的な機関（たとえば学校、ビジネス、宗教、文化的なコンテクスト）で習得されるもので、それぞれの機関特有の専門的な語彙や言語機能の習得を含みます。話し言葉の場合も書き言葉の場合もありますが、文字文化でも非文字文化でも、第二次ディスコースはその文化の中心に位置づけられるものです。非文字文化に共通した第二次ディスコースの例は、たとえば口承物語や代々伝わる結婚式や葬式の場で使われる口上などです。マイノリティ言語で書かれたものがあまりないというような状況のバイリンガル教育では、リテラシーとの関わりとは、単に本を読むだけでなく、口承文化の伝統やコミュニティ特有の知識の伝承方式に触れる機会を増すことと解釈するべきでしょう。

次に述べる指導上の４点は、マイノリティ言語児童・生徒のリテラシーとの関わりを深める上で、特に重要なことです。互いに関係を持つこの４点こそ、リテラシー促進のために教師がしなければならないことなのです。

既存知識／背景知識を活性化する

認知科学の学びに関する研究では、学びにおいて児童・生徒の過去の体験や既存知識が中心的役割を果たすということが強調されています（Bransford, Brown & Cocking, 2000）。スノーら（Snow, Burns & Griffin 1998）は、子どもの背景知識が学びの中核を占めるものであると、次のように言っています。

子どもがすでに持っている背景知識とその意味・理解をあらゆる機会を捉えてあの手この手で深め、豊かにする必要がある。なぜならどんな単語でも、またどんなテキストでも、その意味を理解し記憶に留められるかどうかは、その子がその背景知識を持っているかどうか、またその意味を理解するだけの概念的知識を持っているかどうか、にかかっているからである。(p.219)

ということは、もし子どもの背景知識がL1ですでに埋め込まれているのであれば、L1を使用してその知識を活性化し、その知識をたとえばグループによるブレインストーミングなどを通してさらに深めるべきでしょう。そしてこのことは、L2を主として使う授業でも同じなのです。

意味理解への知的な足場掛け（スキャフォルディングをする）

足場掛かり（スキャフォルディング）という用語は、サポートなしに自分だけでは実行することが難しいタスクや高度な教科学習のタスクをこなすために、一時的なサポートを与えることを意味します。子どもが持っている既存知識を活性化して背景知識を形成することは、児童・生徒の内的な認知構造に働きかける足場掛かりの一種です。

もう一つの足場掛かりは、インプットそのものに手を加えて学習者の理解を助けることです。これには視覚教材の使用、デモンストレーション、ドラマ化、アクトアウト（動作をつけて演じる）、単語や構造についての説明などが含まれます。このほか目標言語を話したり、書いたりする上でのサポートも足場掛かりです。たとえば、さまざまなジャンルの文章の書式の学習（たとえば、正式な手紙の書き方や理科のレポートの書き方）で使われる枠つきの作文用紙（Writing Frames）などは、役に立つ足場掛かりの一つです。どの足場掛かりも個々の学習者の発達レベルに合わせて柔軟性を持たせて使用されるべきものです。たとえば、Writing Framesは一時的なサポートとしては有効ですが、型にはまった柔軟性のない使い方をすると、リテラシー活動を促進するというよりは、むしろ後退させることになりかねません。

児童・生徒のL1も、L2の指導状況によっては大事な足場掛かりになります。グループタスクを完成させる上で必要に応じてL1を使うことを奨励されたグループは、L1使用を禁止されたグループよりも、L2のアウトプットの質がより優れていたという研究報告もあります（Swain & Lapkin, 2005）。

アイデンティティを肯定する

社会の主流派の言語（マジョリティ言語）のみで（現地校の）教育を受け始めたマイノリティ言語児童にとって、もっともフラストレーションの大きい経験の一つは、自分の知性、感情、アイディア、ユーモアなどを教師や級友に伝えることができないことです。このような状況におかれると、児童・生徒自身ができること、また学校で達成したいこと、将来に対する夢や希望などについても、すべて過小評価されてしまう傾向があります。

しかし、逆に学校内や教室の中で彼らの知性、想像力、複数の言語能力が肯定的に評価されるのであれば、彼らはもっと前向きに学習に自分のアイデンティティを投資するようになるでしょう（Cummins, Brown & Sayers, 2007を参照）。特に、教師と児童・生徒のインターアクションの中でマイノリティ言語児童のアイデンティティを肯定するということは、マイノリティ言語児童とその言語集団に対する社会一般の低評価に真っ向から挑戦することになるのです。

アイデンティティ・テキスト（Identity Texts）とここで呼ぶのは第1章で述べたように、児童自身が持っている想像力、知性、（多）言語能力、芸術的才能をフルに反映させた創作作品のことです。自分のアイデンティティを最大限に投資して創った作品であるため、子どもたちがその作品に対して、著者あるいは制作者としての所有権（オーナーシップ）を持つことになるのです（http://www.multiliteracies.ca の例を参照）。

また第２章で述べたように、アイデンティティ・テキストは、文章でも、口頭発表でも、映像でも、ミュージカルでも、複数のメディアの組み合わせでもその形式は何でもよいのですが、一旦できあがると自分のアイデンティティをより前向きに映し出す鏡のような役割を果たします。アイデンティティ・テキストがしばしば彼らのアイデンティティの大使になるのです。またそれを多くの読み手や聞き手（同級生、教師、親、祖父母、交流クラスやメディアによる聴衆一般など）と共有する中で、肯定的なフィードバックが得られることが多く、聞き手、読み手とのインターアクションの中でさらに自分自身を肯定的に受け止めることができるのです。

以上の良い例が Tomer という男の子の次のコメントです。Tomer は６年生のときに英語がゼロの状態でイスラエルからカナダに来た男児ですが、すぐに教師（Lisa Leoni）の指導のもと、ベブル語と英語でバイリンガルの作文を書いて本にまとめて出版するというプロジェクトに加わりました。初めのうちは、Tomer はまずヘブル語で文章を書き、ヘブライ語が話せる教師といっしょにそれを英訳、インターネット上に公開したのです（http://www.multiliteracies.ca）。Tomer はそのときの気持ちを次のように語っています。

> インターネットに掲載された自分の本を見たときは本当にうれしかった。ぼくがわざわざ人に見せなくても、グーグルでぼくの名前をクリックするだけで、だれでもぼくの本のところに行き着くことができる。Tom（イスラエルにいる Tomer の友人）に見てくれと言ったら、ぼくの（イスラエルにいる）親戚全員が見たんだそうだ。

このように、マイノリティ言語児童のアイデンティティを学校内で肯定的に受け止めることが即、社会一般の抑圧的な力関係に挑戦することになるのです。そして、教師と児童・生徒の共生的、協働的な関係の結果エンパワーされた子どもたちは、リテラシー活動により意欲的に関わろうとするようになるのです。

言語を伸ばす

前述したように、学年が上がるにつれて 理科、算数・数学、社会、国語などの教科カリキュラムの中で、ますます複雑さを増していくテキストを読みこなすことが期待されます。本の中でしか使われない低頻度の教科用語やより複雑な文法や談話構造に遭遇するのです。このような状況に対応するためには、学内だけでなく学外でもさまざまなジャンルの本を幅広く読む児童・生徒の方が、限られた本しか読まない学習者より、はるかに教科学習言語の習得の機会に恵まれることになります。

と同時に、一方で教科学習言語がどのような機能を果たしているかを明らかにするとともに、言語そのものにつねに注目させ、どうしたら言語を力強く、効果的に使えるかということについて注意を促すことも重要です。またL1をL2習得の知的ツールとして使うように奨励すること、二言語を比較対照するチャンスを与えることも、言語に対する気づきとその機能に対する認識を高める上で役に立ちます。

訳すという作業も、たとえば二つの言語で作文を書いて本の形にまとめるなど、子どもが熱心に関わっているリテラシー活動の一環として行うのであれば、言語に対する気づきや認識を大きく促進することになります。この点は、次のパキスタンからカナダに来たKantaという子の作文の感想の中によく表現されています。この作文は、いかにパキスタンを離れて新しい国に来ることが困難であったかということについて、MadihaとSulmanaというふたりの友人といっしょに書いた「新しい国」(*The New Country*)というタイトルのバイリンガル作文です。

二つの言語で作文を書くことから多くのことを学んだ。特に英語を習い始めたばかりのMadihaには英語とウルドゥ語の構造が非常に違うので役に立ったと思う。たとえばウルドゥ語で何か言いたければ単語を３つ並べればすむが、英語となると、同じことを言うのにもっと単語をたくさん使わなければならない。だからこのような二つの言語の違いがはっきり分かってMadihaにはよかった。

（http://www.curriculum.org/secretariat/archive.html の webcast より）

4. 結論

バイリンガル教育そのものの科学的正統性については、研究者や識者の間ですでに自明のこととして受け入れられていますが、さまざまな社会的・政治的、社会言語学的状況でどのようなバイリンガル教育モデルが効果的であり、どのような実践がもっとも望ましいか、というようなことについてはまだ議論の余地もありますし、調査研究も必要です。学校教育の中でマイノリティ言語児童・生徒が成功するためにどうしても必要なバイリンガル教育については、国レベルまた地域レベルの言語計画という観点から、その中核になる必要不可欠な要因を取り出すことが可能です。その中には次の点が含まれます。

- 両方の言語でしっかりとした会話力とリテラシーの力を効果的に育てること。
- 両方の言語でリテラシーとの関わり度を長期間にわたって保持すること。この場合、"リテラシー"を話し言葉あるいは書き言葉を通して蓄積された言語集団コミュニティの知的継承文化という広い意味で捉えること。
- エンパワーメント、つまり教師と児童・生徒によって協働的に、新しい力を教室内に創造すること（collaborative creation of power）。

その他のプログラム構成要素については、地域レベルで決めるべきでしょう。これまでの研究で社会的、政治的、言語的状況によってさまざまな選択肢に効果があることが分かっており、その中には次のような構成要素が含まれます。

- 二言語の時間的配分（たとえば、低学年のL1/L2の使い分けの割合を50%対50%にするか90%対10%にするか）
- 読み書きの初歩を教えるのにもっとも適した言語の選択（L1先行か、L2先行か、両言語同時進行か）
- 相互依存仮説にもとづいて二言語間の転移を促進するために必要な指導上の方針は、どうあるべきか（バイリンガル指導アプローチか、二言語をはっきり使い分けるモノリンガル指導アプローチか）

上記の最後のポイントですが、さまざまなバイリンガル環境、マルチリンガル環境で、転移を促進するバイリンガルアプローチの方が指導上有利な点が多いことは、明らかです。しかし、ある状況においては、マイノリティ言語グループのL1を社会一般のコミュニケーションツールとし、リテラシー獲得のための標準語として正当化するというコミュニティの言語計画の方が、指導上の利点よりも重要視されることもあります。たとえば、ニュージーランドのAotearoaのマオリ語がその例で、このような主張を強くもっている教育者たちが多いそうです。

インドの部族グループのバイリンガル教育については、プログラムを選定するに当たって考えなければならない要因がいろいろあります。たとえば、国レベルで使用される言語に加えて地域語も部族語も流暢に話せる教師の供給が可能かどうか、それぞれの言語の教科書や教材があるかどうか、それぞれのコミュニティによって異なる子どもの言語、学力に対する期待やビリーフなどにどう対処するか、などです。プログラム関係者、バイリンガル専門家、行政の担当者の間で、互いの立場を尊重し合いながら対話を積み重ねることによって、それぞれの環境にもっとも適した実現可能なバイリンガル教育のモデルを見出すことができるでしょう。

ただ、このような課題について議論する上で常に留意すべきことは、国際的な研究で明らかにされている効果的なバイリンガルプログラムの深層構造です。どのようなバイリンガルプログラムでも、プログラムの成功には、基本的に次の３点が関わっています。(a)二つ以上の言語で、どのぐらいまで会話力とリテラシーが伸ばせるか、(b)カリキュラム全体を通して、どのぐらいまで読みと書きの両面で、リテラシーとの関わり度を強めることができるか、そして (c)学校教師がマイノリティ言語児童・生徒をエンパワーすることによって、どのぐらいまで社会一般の抑圧的な力関係に自らの指導を通して明示的にチャレンジすることができるか、です。

引用文献

August, Diane and Timothy Shanahan. (eds.) 2006. *Developing literacy in second-language learners. Report of the National Literacy Panel on Language-Minority Children and Youth.* Mahwah, NJ: Lawrence Erlbaum.

Bankston, Carl L. and Zhou, Min. 1995. Effects of minority-language literacy on the academic achievement of Vietnamese youths in New Orleans. *Sociology of Education,* 68, 1-17.

Bransford, John D., Ann L. Brown and Rodney R. Cocking. 2000. *How People Learn: Brain, Mind, Experience, and School.* Washington, DC: National Academy Press.

Collier Virginia P. and Wayne P. Thomas. 1999. 'Making U.S. schools effective for English language learners, Part 2'. *TESOL* 9:5, 1,6.

Cummins, Jim. 1981. 'The role of primary language development in promoting education success for language minority students'. In California State Department of Education (ed.). *Schooling and Language Minority Students: A Theoretical Framework.* Los Angeles: Evaluation, Dissemination and Assessment Center, California State University, 3-49.

Cummins, Jim. 2001. *Negotiating identities: Education for empowerment in a diverse society* (2nd Ed.). Los Angeles: California Association for Bilingual Education.

Cummins, Jim. 2007. 'Rethinking Monolingual Instructional Strategies in Multilingual Classrooms'. In Lyster, Roy and Sharon Lapkin (eds). Theme Issue: Multilingualism in Canadian Schools. *Canadian Journal of Applied Linguistics*. 10:2, 221-240.

Cummins, Jim, Kristin Brown and Dennis Sayers. 2007. *Literacy, Technology, and Diversity: Teaching for Success in Changing Times.* Boston: Allyn & Bacon.

Francis, David, Nonie Lesaux and Diane August. 2006. 'Language of instruction'. In August, Diane and Timothy Shanahan (eds). Developing Literacy in Second-language Learners. *Report of the National Literacy Panel on Language-Minority Children and Youth.* Mahwah,

NJ: Lawrence Erlbaum, 365-413.

Gee, James Paul. (1990). *Social Linguistics and Literacies: Ideologies in Discourses.* New York: Falmer Press.

Geva, Esther. 2000. 'Issues in the assessment of reading disabilities in L2 children-beliefs and research evidence'. *Dyslexia* 6, 13-28.

Genesee, Fred, Kathryun Lindholm-Leary, William M. Saunders and Donna Christian. 2006. *Educating English Language Learners.* New York: Cambridge University Press.

Guthrie, John T. 2004. 'Teaching for literacy engagement'. *Journal of Literacy Research,* 36, 1–30.

Krashen, Stephen D. 2004. *The power of reading: Insights from the research.* 2nd edition. Portsmouth, NH: Heinemann.

Krashen, Stephen D. and Clara Bee Brown. 2007. 'What is academic language proficiency', *Singapore Tertiary English Teachers Society Language and Communication Review,* 6:1, 1-4.

Ladson-Billings, G. 1995. Toward a theory of culturally relevant pedagogy. *American Educational Research Journal,* 32, 465-491.

Lambert, Wallace E. and G. Richard Tucker. 1972. *Bilingual Education of Children: The St. Lambert Experiment.* Rowley, MA: Newbury House.

Lindholm-Leary, Kathryn J. and Borsato, Graciela. 2006. 'Academic Achievement.' In Genesee, Fred, Kathryn Lindhold-Leary, Willy Saunders, and Donna Gristian (eds). *Education English Language Learners.* New York: Cambridge University Press, 176-222.

Lindsay, Jim. 2010. *Children's access to print material and education-related outcomes: Findings from a meta-analytic review.* Naperville, IL: Learning point Associates.

McCarty, Terrisa L. (ed.) 2005. *Language, Literacy, and Power in Schooling.* Mahwah, NJ: Lawrence Erlbaum Associates.

National Reading Panel. 2000. *Teaching children to read: An evidence-based assessment of the scientific research literature on reading and its implications for reading instruction.* Washington, DC: National Institute of Child Health & Human Development.

Mohanty, Ajit K. 1994. *Bilingualism in a multilingual society. Psycho-social and Pedagogical Implications*. Mysore: Central Institute of Indian Languages.

Ogbu, John U. 1978. *Minority Education and Caste.* New York: Academic Press.

Ogbu, John U. 1992. Understanding Cultural Diversity and Learning. *Educational Researcher,* 21 (8), 5-14 & 24.

Organization for Economic Cooperation and Development (OECD) 2004. Messages from PISA 2000. Paris: OECD.

Phillipson, Robert. 1992. *Linguistic Imperialism.* Oxford: Oxford University Press.

Portes, Alegandro and R.G. Rumbaut. 2001. *Legacies: The Story of the Immigrant Second Generation.* Berkeley: University of California Press.

Schermerhorn, Richard A. 1970. *Comparative Ethnic Relations. A framework for theory and research*. New York: Random House.

Shimahara, Nobuo K. 1991. 'Social mobility and education: Burakumin in Japan'. *A Comparative Study of Immigrant and Involuntary Minorities.* New York: Garland Publishing Inc., 327-353.

Skutnabb-Kangas, Tove. 1981. *Bilingualism or Not: The Education of Minorities.* Clevedon UK: Multilingual Matters.

Skutnabb-Kangas, Tove. 2000. *Linguistic genocide or worldwide diversity and human rights.* Mawah, NJ: Lawrence Erlbaum Associate

Skutnabb-Kangas, Tove, Robert Phillipson, Minati Panda and Ajit Mohanty (eds.) (2009). *Social Justice Through Multilingual Education.* Bristol: Multilingual Matters, 320-344.

Snow, Catherine E., Margie S. Burns and Peg Griffin. (eds.) 1998. *Preventing Reading Difficulties in Young Children.* Washington, DC: National Academy Press.

Swain, Merrill and Sharon Lapkin. 2005. 'The Evolving Socio-Political Context of Immersion Education in Canada: Some Implications for Program Development'. *International Journal of Applied Linguistics,* 15. 169-186.

Verhoeven, Ludo. 2000. 'Components in early second language reading and spelling'. *Scientific Studies of Reading,* 4 (4), 313-330.

第4章

変革的マルチリテラシーズ教育学
——多言語・多文化背景の子ども(CLD)の学力をどう高めるか

Jim CUMMINS

低所得層の子どもと高所得層の子どもの学力のギャップをどうやって埋めるかという問題は、1960年代からアメリカの教育者や教育政策に関わる行政関係者の関心の的でした。所得の格差と民族／人種問題の両方が重なり合うため、その対象となるのは主にアフリカ系、ラテン系、先住民の子どもたちでした。このギャップを埋めるために最近行われた取り組みは、ブッシュ政権下、60億ドルもの資金を投じて開発されたReading Firstという読みのプログラムです。低所得層の小学生の読む力を改善するためのものですが、これまでの取り組みと同じように実質的な効果はほとんど見られなかったようです。たとえばその報告書（*Reading First Impact Study*, Gamse, Jacob, Horst, et al. 2008）には、やや改善が見られたのは小学校1年生の文字を読み取る力で、1年、2年、3年の読解力には全く影響がなかったと書かれているのです。

どうしてこのような低所得層の文化的、言語的に多様な背景を持つ児童・生徒（Culturally and Linguistically Diverse Students, CLD）の低学力を覆そうとする先端的な教育的取り組みが成功しなかったかというと、教育的介入だけでは低学力の起因となっている社会的、経済的状況に対処できないからです。低収入は子どもの教育上の可能性を左右するさまざまな要因と直結しています。たとえば、親のケア、栄養摂取、本やコンピュータへのアクセスの低さなどです。アニョン（Anyon 2005）は、経済的状況と学力との関係を無視した教育的取り組みがいかに無意味か、次のように述べています。

> 都市部の貧困、低賃金労働、住居差別などの問題を認めて、それらに対処しようとすることによって、教育政策、教育実践上のカリキュラムや指導に関する教育改革が矮小化されてしまう。マクロの経済政策が常に教育政策の効果を踏みにじるのである。

さらに、社会的、経済的要因が教育を左右するほどの影響力を持つということは、実際にそれらの要因に対する介入が教育的効果をもたらすという事実を見れば明らかです。ロスシュタイン（Rothstein, 2004）は、これまでの広範囲にわたる実証的研究の結果をまとめて、学校外要因、つまり家族の収入増加、適切な栄養摂取、出産前後の健康管理などの介入が実際に低収入グループの子どもたちの認知力／学力と関係があったと言っています。このほかに社会的、経済的要因の負の影響を強めるのは、低所得地域の教育サービスの制度上の差別です。連邦政府や州レベルの補助金であるにもかかわらず、学校への資金提供が、高所得地域と低所得地域とでは厳然とした格差があるのはその明らかな例です（Kozol, 2005）。

民族・人種問題と結びついた社会的格差、教育的格差には、一般社会の力関係と社会的地位の格差が反映しています。社会的な力関係が学校教育のあり方、たとえば生徒ひとり当たりの教育費、カリキュラム、アセスメント、教授言語の選択などに直接影響を与えるだけでなく、教授アプローチや低収入／CLD児童・生徒が実際に経験する教室内のインターアクションの質にも反映されるのです。このことは、すでに何年も前からアメリカ南西部の研究で指摘されており、ヨーロッパ系アメリカ人生徒は褒められる率がメキシコ系アメリカ人生徒と比べて36％も多く、また授業に貢献したと認められる頻度が40％も高かったと言われています（U.S. Commission on Civil Rights 1973）。また最近の研究では、Neuman & Celano（2001）が所得中間層地域の児童・生徒の方が低所得層の児童・生徒よりも学校で印刷された文字にアクセスする割合がずっと高かったという報告をしています。

またReading Firstプログラムから資金の提供を受ける学校に強制的に押しつけられる教師主導型の読みの直接的な教授法と共に、「落ちこぼれ防止法」（No Child Left Behind, NCLB）によって義務づけられたリスクの高い標準テストの強化が、既存の教育格差をより悪化させていることも否めません（Cummins, 2007)。高収入層地域の学校と比べて低収入層地域の学校では、期待される成績とその向上に対するチャレンジやプレッシャーがより高く、そのことがテストのための学習やドリル・練習問題中心の授業活動をより強化する結果になっています。いずれも学力格差を埋めるために考案された教育的施策であるにもかかわらず、逆に低所得層の子どもの教育格差を拡大するという、皮肉な結果になってしまっているのです。

問題は、低収入層／CLD 児の学力に対する、実証的な研究成果に基づいた教授上の原則とは一体何かということです。教科内容や読みのスキルを教師が学習者に直接伝授注入しようとする Reading First プログラムは、読解力に対するプラスの効果が全く見られなかったということで、その信憑性がかなり失われています（Gamse, Jacob, Horst et al. 2008)。これまでの教育改革と同じように、NCLB も Reading First も、社会的な力関係やその他の一般的な社会的要因を無視しているという点で、「科学的根拠に基づいた」（scientifically-based）結論であるという主張そのものが不適当なのではないかと思います。

本章では、低学力の原因に関する実証的データや、低所得層／CLD 児の読みとの関わりや学業達成に影響があると思われる科学的研究を踏まえて、いくつかの教育上の原則をセットとして提示したいと思います。私が目的とするのは、教育上の変革や学校改善につながる一つの教育的枠組みを提示しようとするのではありません。現場の教師が自らの実践を批判的に振り返り、評価し、個人または学校全体で今後追求すべき教育のあり方を明確にするのに役立つと思われる一連のツールを生み出すことなのです。まずはじめに、教育政策を立てるに当たって質的研究と教育理論の役割を過小評価するという、これまでの誤った考え方を正すために、研究、理論、政策、実践がどのような関係にあるべきかについて簡単に説明しましょう。

1. 研究・理論・政策・実践

政策立案のためにどのような研究が必要か

近年米国その他で教育政策を立てるに当たって、取り上げる価値があるのは量的な研究だけであり、実験的手法、準実験的手法を用いた量的研究のみが、教育的措置や指導プログラムの効果の原因を探るのに役立つという見方が一般的です。このため「ナショナル・リーディング・パネル」(National Reading Panel, NRP)では、そのような研究だけを取り出して「科学的」根拠のある研究とし、その他同じように意味がある膨大な数の非実験的な質的研究から導かれる推論をすべて無視したのです（読みの伸びに関する質的研究から導かれる推論については、Cummins 2007を参照のこと)。その後、オーガスト＆シャナハン(August & Shanahan 2006, 2008)は、「言語的マイノリティのためのナショナル・リテラシー・パネル」(The National Literacy Panel on Language-Minority Children and Youth）で質的研究にも補助的役割があることを認めてはいますが、量的な研究の枠内に留まっていることは次の引用を見ても明らかです。「最終的には［質的］研究は、指導の学びに対する効果について仮説を立てるだけに留まる（なぜなら教授法についての体系的な統制がとれていないし、また統制グループのない研究だから)」(August & Shanahan 2008, p.8)。どのような研究が正統的かということに関してこのような狭い見方をすることが、「リテラシーの獲得には社会文化的要因の影響を示すものが驚くほど少なかった」(August & Shanahan, 2008 p.8）という結論にも反映されています。ナショナル・リテラシー・パネルが社会文化的要因に関する多くの研究を分析の対象からはずしてしまったことを考えると、このような結論が出るのも決して驚くべきことではないでしょう（たとえばLadson-Billings

1995; Portes & Rumbaut 2001）。

NRP（2000）とオーガスト＆シャナハン（2006, 2008）に代表されるこのような視点とは対照的に、エスノグラフィに基づく研究やケーススタディは、次の２点で理論の構築（と知識の生成）に貢献していると私は主張したいのです。第一にこのような研究は、説明を必要とする現象自体を明らかにすることができます。どのような科学的探求でも、知識というものはまず観察による現象の確認、次にこれらの現象を説明できる仮説を立てること、そしてさらなるデータで仮説を検証、仮説を練ってより説明力、予測力を持つ総括的な理論にまとめる、というプロセスを経て生まれるものです（Cummins 1999）。太陽系システムを発見したのも、天気を予報する方法も、このようなプロセスを経て可能になったものです。また教科学習言語における知識やスキルが異言語間で転移するという理論（言語相互依存説［Cummins 1981］）も、このような方法で導き出されたものです。

質的データが知識生成に貢献するという理由の第二は、観察された現象そのものが（質的でも量的でも）理論や政策上の提案を覆すことができるということです。どんな理論の主張も提唱もすべて実証的データと一致しなければなりません。もしそこにギャップがある場合は提唱自体を修正する必要があるのです。

上に述べた二つの点を示すいい例は、リーズ（Reyes 2001）の数年にわたる二重言語プログラム（dual language program）の英語話者とスペイン語話者の小学生の二言語のリテラシーの獲得の授業観察です。この子どもたちはリテラシーの初期指導を強い方の言語（L1, スペイン語）で受けて、フォニックスや文字を読み取る指導をL2（英語）では受けなかったにも関わらず、英語の読み書きの力も自然に身についたのです。つまりスペイン語から英語に転移していることが分かったということです。リーズによると、この転移を可能にしたのは、意味のある本物の目的（authentic purposes）のためにそれぞれの言語で書くことを指導上強調したこと、また教室の中でスペイン語（英語も同様）の地位とその正統性が容認されたからだと言っています。この研究は、条件が整えば特別な指導なしにL2の読み書きの力も自然に伸ばすことが可能であるという現象（他の研究によっても支持されている）があることを立証したという意味で、科学的知識の創造に貢献しているのです。この現象は、教科学習言語能力が異言語間で転移するという主張を支持すると同時に、体系的なフォニックス指導がリテラシーの発達に**必要不可欠**だという説の理論的根拠を覆すものでもあります。

オーガスト＆シャナハンの報告書（2006, 2008）の視点とは対照的に、エスノグラフィやケーススタディは、科学的探求の**主流をなす**研究方法であり、単に仮説の生成だけに留まらず、仮説を検証し、仮説に反駁することを可能にするものなのです。以下に述べる理論的枠組みも、研究成果と政策に関する最近の米国の動向とは異なり、より広範囲の研究を踏まえた科学的根拠に基づくものです。

教室実践との対話から生まれた理論的枠組み

上で指摘したように、個々の仮説もまた複数の仮説を統合した理論的モデルや枠組みも、実証的データと一致していなければなりません。ただこの制約のなかで、データの記述や整理の仕方に関して、さまざまな方法が可能なのです。たとえば、学問領域（神経学と認知科学とか）によって同じ現象に対してかなり異なった記述や説明がなされることがありますが、どちらも妥当性があるということです。また同じ学問領域でも、研究の目的、予想される読み手、期待される成果によって、一つの現象が異なった理論的枠組みに統括されることもあります。このプロセスは、人が物（たとえば、家）を観察するのと似ています。観察する人が動いて視点を移せば、対象物自体は変わらなくても、そのイメージが違って見えるものです。

したがって理論的枠組みとは、一つの現象に対して、状況や目的によって異なった視点を提供してくれるものなのです。

理想的には、理論的枠組みはつねに実践との対話を必要とするものです。理論と実践は双方向の関係を保ちながら進行していきます。つまり実践が理論を生み、その理論が触媒となって新しい実践を生み出し、それがまた理論を新しくするのです。このように理論と実践は互いに知識と活力を注入し合う関係にあります。理論的提唱や理論的枠組みは、正統性があるかないか、正しいか間違っているか、という観点ではなく、妥当性があるか、有用性があるか、という観点から判断されるべきでしょう。'妥当性' とは、枠組みの中に含まれている主張や構成要素が実証的なデータとどのぐらい一致するか、またデータに関してどのぐらい一貫性のある包括的な説明が可能か、ということです。'有用性' とは、その枠組みが目標として掲げる教育政策や意図した教育実践に、どのぐらい活かせるかということです。

妥当性も有用性も決して絶対的なものではありません。ここに提示する枠組みよりももっと詳しいものの方が特定のリテラシーを育てる実践では'妥当性' があるかも知れないのです。もっともあまり細かく規定すると、あるいはあまり複雑にしすぎると、有用性が犠牲になる可能性があります。またあまり細部に詳しいと、教育者や政策立案者が'大きな青写真' を見失う可能性がありますし、理論が複雑過ぎたり説明の言葉が馴染みのないものだったりすると、実行に移される可能性が低くなってしまいます。以下に示す枠組みの理論的構成要素は、いずれも次の二点と繋がりを持っているものです。一点は、リテラシーの伸びに関する実証的、理論的研究を踏まえているということ、もう一点は具体的な教室実践を踏まえており、その目的が実践との持続的な対話にあるということです。

2. 変革的マルチリテラシーズ教育学の理論的構成ブロック

次に、理論的構成ブロックについてその概要を述べたいと思います。それは、「リテラシーからマルチリテラシーズへ――新経済状況下の知識生成のための学習環境の構築」（Early, Cummins & Willinsky 2002）というカナダの全国的プロジェクトでまず浮上し、徐々に改良されていったもので、教育者と研究者が互いに協力して、CLD 児のリテラシーとの関わりを強化する指導上のストラテジーを探求したものです（Cummins, Bismilla, Chow, et al. 2005）。授業観察と、教師・生徒・保護者とのインタビューに基づくケーススタディですが、そのデータを解釈するプロセスで、中核となる一連の理論的構成要素に辿りついたのです。それを本書で**変革的マルチリテラシーズ教育学**（*Transformative Multiliteracies Pedagogy*）と呼んでまとめました。変革的マルチリテラシーズ教育学の構築ブロックには、(a)知識の授与・伝達のオリエンテーション、社会的構築主義的オリエンテーション、教育に対する変革的オリエンテーション、という 3 つの指導方針で成り立っていること、(b)社会的な力関係が CLD 児の学校教育に与える影響についての分析、そして（c)**マルチリテラシーズ**の構成要素、の 3 点が含まれています。

変革的マルチリテラシーズ教育学は、**アイデンティティの投資**が学びの中核に据えられており、CLD 児が認知的な面で学びのプロセスに参画できるかどうかを決める主要因が**アイデンティティの交渉**とされている点で、他の多くの教育的枠組みと異なります。アイデンティティの投資という構成要素は、認知心理学や教育改革に関する研究では注目されて来なかったのですが、教育文化人類学や第二言語習得の領域では重要な説明要因として扱われてきたものです（たとえば Fordham 1990; McCarty 2005; Norton 2000; Toohey, Manyak, & Day 2007）。変革的マルチリテラシーズ教育学の中核をなす提唱とは、社会的な力関係がアイデンティティの交渉を通して教室の中に反映されるということです。社会の力関係が不平等な状況では、教室におけるインターアクションは決して中立ではなく、常に抑圧的な力関係を強めるか、協働的力関係を促進するか、この連続線上のどこかに位置するということです。

学校をどのように変革するかというプロセスでは、変革的マルチリテラシーズ教育学は、**教師のエージェンシー**（teacher agency）、つまり教師の主体的働きに中心的役割を課しています。どんなに厳しい状況にあっても、教師には、カリキュラムの内容をCLD児の体験や既存知識とどのように結びつけるか、児童・生徒とのインターアクションを通して言語と文化についてどのような内容を伝えるか、指導を通してどのような知的レベルまで引き上げようとしているか、どのように保護者を巻き込んで教育に参加させるかなど、さまざまな**選択肢**があるのです。

教授上のオリエンテーション

教育に対する広い意味でのオリエンテーションとしては、**知識の授与・伝達的学び、社会構築主義的学び、変革教育学的学び**の3つの学びを区別します（Skourtou, Kourtis-Kazoullis & Cummins 2006）。この3つは、図8に示すように別個に独立したものではなく、入れ子型に重なり合っているものです。

知識授与・伝達型の教育学は、内側の円で示したもっとも狭い対象領域です。目的はカリキュラム（またはテスト）で規定される教科内容やスキルを直接児童・生徒に伝達・教授することです。既存知識の活性化や学習ストラテジーの育成の重要性も、知識授与・伝達型の学びや直接指導法で認知されているかもしれませんが、実際には、既存知識の活性化が既習の教授内容やスキルを復習、再習することと解釈されることが多いのです。

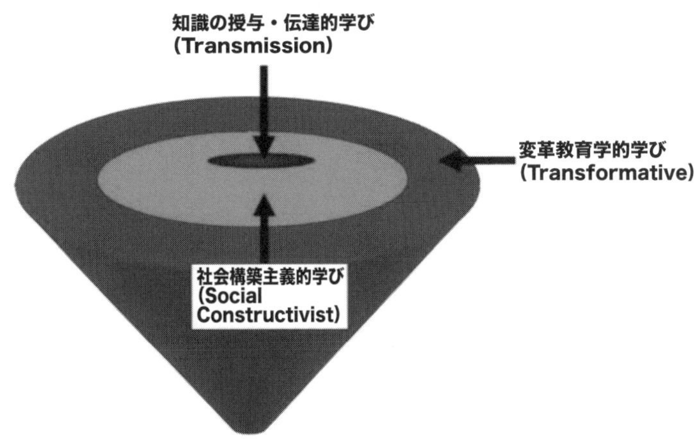

図８　入れ子型の教育のオリエンテーション

また学習ストラテジーの育成も、特定の教科内容に狭く特化される傾向があり、協働的探求や知識の構築という、広い教育全体のプロセスに統合されたものではありません。

円錐形の中心部を占めるのが社会構成主義的学びです。教科内容やスキルの伝達の重要性は認めながらも、その対象領域を広げて、教師と生徒の協働作業による知識の構築や内容理解を深めて高次元の思考力にまで伸ばそうとするものです。焦点となるのは体験学習、協同探求、知識の生成です。この社会構成主義的アプローチを支持する教育専門家は、Vygotsky（1978）の基礎理論の上に教育学を構築する傾向がありますが、学びに関するこれまでの諸研究をまとめてこの分野で大きな貢献をしたブランズフォードら（Bransford, Brown and Cocking 2000）の研究も、具象的な事実関係の知識と概念的枠組みとの統合、既存知識の活性化、メタ認知ストラテジーの伸長による学習プロセスのコントロールなどを強調している点で、まさに社会構成主義的であると言えます。

最後の変革教育学的アプローチは、さらに対象領域を広げて、教科学習の内容を授与・伝達して知識を構築するばかりでなく、知識がどのように社会的力関係と接点を持つかについて洞察を深めるものです。変革教育学的アプローチでは、地域社会や自らが置かれている社会的状況を分析し、深く理解するために協働的・批判的探求の方法を用います。まず互いに議論をし、社会があるべき方向で変わるように実践に移してみることもよくあります。目標は、平等と正義に関わる社会的現象に焦点を当てた批判的リテラシーを育てることです。言い換えると、現実社会の力関係を詳しく分析して一般社会の力関係に積極的に挑戦することを、変革的教育学が可能にしてくれるのです。このようなアプローチは、ヴィゴツキー（Vygotsky 1978）の多大な貢献はもちろんのこと、フレール（Freire 1970）の業績からインスピレーションを得て生まれたものです。

以上３つの学びを入れ子型に配置したのは、知識の授与・伝達的学びがすべての学びにとって重要な意味を持っているからです。明らかに知識授与・伝達的な授業でも、また学習者と教師が共に学習者集団を作って批判的探求をする授業においても、明示的で体系的な指導方針は、教授／学びの効果をあげる上で重要な役割をします。知識の授与・伝達的学びが問題になるのは、教科内容やスキルの伝授のみが中心になって、それだけに指導の焦点が当てられるときです。この学びにのみ依存した授業では、深い理解よりも記憶力に依存し、積極的な学びよりも受け身の学び、そして既存知識の活性化が最低限度になる、という傾向があるのです。

同じように変革教育学的学びのオリエンテーションも、カリキュラムの内容伝授や教師と学習者による協働的知識の構築と対立するものではありません。むしろより広がりのある教育目標や教育ビジョンを追求するために、知識の授与・伝達的学びと社会構成主義的学びを土台として、それらを拡張しようとするものです。

変革的マルチリテラシーズ教育学の観点から見ると、落ちこぼれ防止法（NCLB）をはじめ、学力格差を縮めようとする米国のこれまでの数々の教育改革が最低限度の効果しか得られなかった大きな理由は、教育が知識の授与・伝達的学びの域から出られず、そこに留まっていたことにあります。知識の授与・伝達的学びに依存しすぎると、学びというものの中核にある原則（Bransford et al., 2000 に示されたもの）に抵触することになり、前述したように学校内および一般社会の力関係に根ざす、CLD 児童・生徒の低学力の根本的な要因に応えることができなくなるのです。

社会構成主義的学びでは、一般社会の力関係のある面とアイデンティティの交渉とが間接的に関係しています。知識の授与・伝達的学びと比べて、社会構成主義的学びは、CLD 児自身の自己イメージをより強めることになります。CLD 児は高度の思考が可能なものと認められ、学校の中で彼らの文化的体験や既存知識が活用されることが多いからです。一方、社会構成主義的学びが必要になる理由は、学びに影響を及ぼす社会的力関係のためではなく、学びの認知面に関するものです。CLD 児童・生徒の低学力の起因となる社会的力関係と直接関係を持つのは、変革教育学的学びだけです。CLD 児のエンパワーメントを可能にする教育環境を創りだすこと自体が、学校内および一般社会の抑圧的な力関係への直接の挑戦となるからです。

次節では、変革的マルチリテラシーズ教育学における社会的力関係という概念についてさらに詳しく述べます。特にどのように CLD 児の学校教育に、社会的力関係が影響するのか、またそれを踏まえて、教師と児童・生徒間で CLD 児のアイデンティティを容認することによって可能になる、エンパワーメントの内部構造についても触れたいと思います。

社会的力関係

第 3 章で述べたように、民族性と学力との関係については、社会学者や文化人類学者の膨大な研究があります（例：Bankston and Zhou 1995, McCarty 2005, Ogbu 1978, 1992, Portes and Rumbaut 2001, Skutnabb-Kangas 2000）。これらの研究は明らかに少数派の児童・生徒の学業不振の中核にある問題が社会的力関係であるということを示しています 何世代にもわたって低学力を経験してきたグループは、主流派の手によって有形無形の横暴に晒されてきているのです。第３章で述べたように、ラッドソン-ビリングス（Ladson-Billings 1995）は、いかに抑圧的な力関係がアフリカ系アメリカ人の教室内のあり方に影響を与えるかについて簡潔かつ的確なコメントをしています。「アフリカ系アメリカ人児童・生徒が直面する問題は、自分たちの文化が学校内でもまた世間一般でも常に低く見られていることである」（p.485）。このことが直接意味することは、低学力を逆方向に転換するためには、教師は個人としてもまた教師集団としても、マイノリティグループあるいは被支配者グループの児童・生徒を統括する教室の中のインターアクションを通して、不平等で抑圧的な力関係に挑戦しなければならないということです。

社会的力関係は、アイデンティティ交渉のプロセスを通して教室の中に現れてくるものです（Cummins, 2001）。ここで教師がアイデンティティの交渉に対してどのように関わるかということが大きな影響力を持っており、そのあり方によって、児童・生徒が学習に対してやる気を興したり、逆に意欲をそがれてしまったりするのです。 社会の力関係と、少数派言語児童・生徒の学力獲得に決定的な影響を与えるアイデンティティ交渉との接点については、第３章の図６（p.102、Cummins 2001 をもとに作成したもの）をご覧ください。

図６が示しているのは、抑圧的なものから協働的なものまで、さまざまな形で存在する一般社会の力関係が、学校教育の中で自らが決める教師自身の役割にも、また学校全体の組織づくりにも影響を及ぼすということです。抑圧的な力関係とは、従属的な立場にある個人、集団、国を犠牲にして、支配者集団が権力を行使するということです。たとえば、支配者集団が作っている組織（たとえば、学校など）が、従属的グループの文化的ア

イデンティティを否定し、‘メインストリーム’の社会で成功するための必要条件として、自らの言語の継承を断念することを強要してきた過去があります。教育者が知識伝達においてCLD児のパートナーとなるためには、学習者の方が自己のアイデンティティを捨てて黙従し、支配者集団の視点に立った‘真実’を公認することが求められたのです（たとえば、コロンバスがアメリカを‘発見’し、先住民に‘文明’をもたらしたというような‘真実’のことを指しています）。

逆に協働的力関係では、より高度なものの達成に向けて‘できるようになる’（being enabled）、‘力を与えられる’（empowered）という意味で‘力’（power）という用語を使っています。「力」は特に規定されたものではなく、インターアクションを通して新しく創り出されるものです。個人またはグループがエンパワーされれば、それだけ他人と分かち合える新しい力が創造されるのです。このような状況では、**エンパワーメント**とは**力を協働的に創り出すこと**、と定義することができます。学校で協働的力関係を経験したCLD児は、自らのアイデンティティが教師とのインターアクションを通して容認され強められているため、授業にも自信を持って参加するようになります。同時に自分たちの声がクラスの中で聴いてもらえること、また尊重されることも知っているのです。学校教育によってCLD児の自己を表現する力がつぶされてしまうのではなく、より強化されるのです。

教育者の役割とは、CLD児を教えるという仕事を遂行するに当たって、教育者自身が持つ期待、推測、目標設定などに関わる心的態度のことを意味します。学校教育の構造とは、政策、プログラム、カリキュラム、評価を含めた広い意味での学校教育全体の組織づくりのことです。学校教育の構造には、社会の支配者層の価値観や優先順位が反映されるものですが、決して固定化されたもの、静的なものではありません。社会の組織づくりでもまた財源の分配でもそうであるように、学校教育のあり方でも個人やグループが互いに競い合う余地のあるものなのです。

教師の役割の定義と同じように、学校教育の構造は、教育者、児童・生徒、地域社会とのインターアクションのあり方を規定するものです。このインターアクションが、知識獲得やアイデンティティ形成の交渉が行われるインターパーソナルなスペース、つまり対人空間を創り出すのです。心と心が触れ合い、アイデンティティとアイデンティティの触れ合うインターパーソナルなスペースの中で、新しい力が創造され共有されるのです。このように、教師-学習者のインターアクションは、CLD 児の教育達成で成功するか失敗するかを決める最も直接的な要因なのです。

教師、学習者、コミュニティ間のインターアクションが中立的な立場で行われることはまずありません。程度の差はあっても、抑圧的な力の方に加担するか、協働的力関係を促進するかのどちらかなのです。抑圧的な力の方に加担する場合は、CLD 児とその地域集団から力を奪ってしまう（disempowerment）ことになるし、協働的力関係を促進する場合は、教師、児童・生徒、地域集団が一丸となって社会の抑圧的な力関係に挑戦することを可能にするエンパワーメントのプロセスが生まれるのです。

マルチリテラシーズ

マルチリテラシーズ（multiliteracies）という教授上のアプローチの中核にある考え方は、21 世紀の学校ではただ従来の伝統的な読み書きの力だけでは不十分で、広範囲にわたるさまざまな形の複数のリテラシーに焦点を当てるべきだという認識です。マルチリテラシーズという用語を初めて使ったのはニューロンドングループ（New London Group 1996）ですが、このグループが強調しているのは、情報、コミュニケーション、マルチメディア、テクノロジーとの関係で、ますます必要性が高まる新しい形のリテラシーの重要性であり、また複雑な多元社会（pluralistic societies）の多種多様な文化固有のリテラシーに対する価値づけでもあります。マルチリテラシーズの視点から見ると、学校の中で、社会の主要言語で書かれた教科書を基盤とした単線のリテラシーのみに焦点を当てるのは極めて限界のある指導方針であり、それだけでは高度のテクノロジーに裏づけられたグローバルな現代の知識基盤社会の課題に応えることができないというのです。北米でも欧州でも都会の児童・生徒は、複数の言語をこなすマルチリンガルであり、学校の外でさまざまなリテラシーとの接触があり、実際に関わりを持っているのです。にもかかわらず、学校教育では、リテラシー教育という概念が極めて狭く捉えられ、児童・生徒の複数言語リテラシーや文化的・言語的資本の大事な一部をなす情報技術リテラシーが一切認められず、主要言語の限られた形式のリテラシーにしか焦点が当てられていないのが実情です。

ニューロンドングループが教育的枠組みとして強調しているのは、**社会的文脈に埋め込まれた実践**（situated practice）、**明示的な指導**（overt instruction）、**批判的な枠組み**（critical framing）、**具体的状況下の実践**（transformed practice）です。この枠組の大事なところは、学習者集団の中で、児童・生徒が意味のある学習体験と実践の機会が与えられるべきであるということ、また概念や教科内容の理解のために必要に応じて明示的な指導があるべきだということです。また学んだ内容を一歩距離をおいて内省し、その概念やアイディアを社会的状況に照らして批判的に見る機会も必要です。そして最終的には獲得した知識をさらに発展させ、その知見が人々や現実社会の課題にどのようなインパクトがあるか、実践を通して理解する機会も与えられるべきだということです。

ニューロンドングループのマルチリテラシーズ教育学は、本書で変革的マルチリテラシーズ教育学と呼ぶものの中核を成すものです。ただ、このマルチリテラシーズ教育学では説明が困難な点が、マルチリテラシーズプロジェクト（www.multiliteracies.ca）のデータを解釈する中で２点浮上しました。第一は、ニューロンドングループの枠組みでは、学習者の視点（児童・生徒が何をするか）と指導者の視点（教師が何をするか）が同じ構成要素として扱われていることです。現場の教師たちとこのケーススタディの教育的意味について議論を重ねるなかで、学習者の学びと教師の指導の視点を分けた方がより有用だということが分かりました。そうすることによって指導のあり方により特異な面を加えることができるようになったのです。たとえば、ニューロンドングループの枠組みでは、学校言語を習得する初期の段階でCLD児の学びを支える既存知識の役割と第一言語の役割がはっきり規定されていませんでした。またニューロンドングループの構成要素では、教師の指導のあり方と、アイデンティティの交渉と社会的力関係がはっきり関連づけられていませんでした。もちろん示唆はされてはいましたが、枠組みの中に明確に位置づけられてはいなかったのです。

3. 学校言語とリテラシー政策議論のために新しく生まれつつある枠組み

本節で紹介する二つの枠組みは、多言語環境にある学校で教師が言語政策や新しい取り組みについて話し合うときの道具として役立つことを目的として、現在'生まれつつある'ものです。ですから、固定されたものではなくダイナミックなものであり、与えられた条件や状況によって変更を加えたり、拡張したりできるものです。第3章の図7（p.103）の「リテラシーとの関わり度」の枠組み（Literacy Engagement Framework）は、社会的構成主義に重きを置くものですが、図9（p.139）の「リテラシー達成度」の枠組み（Literacy Expertise Framework）は、批判的視点を持っているという点で明らかに変革的です。ただし、どちらもCLD児のアイデンティティの投資とアイデンティティの容認を指導上重視するという点で共通しています。いずれも社会的力関係が学業達成で中心的役割を果たすという分析に基づいている点と、CLD児の第一言語をリテラシーと学習との関わり全体を支える大事な認知ツールと見なしている点でも、共通しています。

リテラシーとの関わり度の枠組み

第3章の図7（p.103）に示した枠組みは、**リテラシーとの関わり度**の構成要素と読解力の伸びとの実証的研究に基づく関係を示すために作ったものです。第3章に述べたように、ガスリー（Guthrie 2004）によるとリテラシーとの関わり度は、**読書時間**（time on task、どのぐらい本を読むか）、読書への**情意・態度**（affect、どのぐらい読書に前向きに取り組むか）、**認知プロセスの深さ**（depth of cognitive processing、深く理解するための読解ストラテジー）、**リテラシー活動の積極的な追求**（active pursuit of literacy activities、学校内外でのリテラシー活動の量と幅）によって構成されると言います。読書への関わり度の高い児童・生徒は、認知ストラテジーあるいは概念的知識に留意して、積極的かつ精力的に読むことに関わるものだそうです。さらに読書そのものは孤独な活動である部分が大きいのですが、読書との関わり度の高い児童・生徒は、友人と一緒に本を読んだり、議論したりするという点で、社会的にインターアクティブな活動であるという指摘もしています。

リテラシーとの関わり度が、リテラシー獲得上でもっとも強力な予測要因であるということは、これまでの多読と読解力との関係についての多くの研究（Krashen 2004 の文献総括を参照のこと）で実証されています。また経済協力開発機構（OECD）の国際学習到達度調査（PISA）に関する大規模データの結果でも裏づけされているものです。第３章でも述べたように、「児童・生徒の読みとの関わり度が社会経済的背景よりも、より強いリテラシーの予測要因であり、読みに対する興味を培うことこそ、教育的に不利な家庭環境を克服する一助になるということが分かった」（OECD 2004: 8）ということです。この調査結果は、もし米国の Reading First のような読みのプログラムがフォニックスの体系的な読字指導だけではなく、リテラシーに直接関わる読解力の指導にも焦点を当てていたとしたら、低収入層の子どもの読解力も向上し、よりよい研究成果が得られていたのではないかということです（Gamse, Jacob, Horst, et al. 2008）。

図７のリテラシーとの関わり度の枠組みは、CLD 児が英語（あるいは現地の学校言語）の習得の初歩の段階からリテラシー活動に積極的に関わることができるように、４つの大枠の指導領域を示したものです。小学校低学年を終えてホスト国に移動したニューカマーの子どもたちは、数年経たないと第二言語である学校言語で年齢相応の認知レベルの読み書きをこなせるようにはなりません。年齢相応の読み教材は L2 習得の初歩段階の彼らの理解を越えるものですし、まとまった文章を書くにはまだ英語力が不十分なのです。移住者児童・生徒が学習面で学年レベルに追いつくのには、少なくとも平均

5年は必要だということが世界各地で行われた研究成果ですでに分かっているのです（Cummins 2001のまとめを参照）。

リテラシーとの関わり度の枠組みの大事な点は、次のように要約できます。教師がCLD児を効果的に指導するためには、積極的に読み書きに関わる最大限の機会を提供する必要があります。リテラシーとの関わり度を強めるためには、まず(a)CLD児の既存知識を活性化すること、(b)教科学習言語を理解し、使用するために必要な指導ストラテジーの支援があること、(c)CLD児のアイデンティティを容認すること、(d)カリキュラム全体を通じて言語に対する知識や言語をコントロールする力を伸ばすこと、です[8)]。

リテラシー達成度の枠組み

リテラシー達成度の枠組みは、学業達成度の枠組み（Cummins 2001, p.125）をもとに、学力全体ではなく、特にリテラシーに焦点を当てて作り直したものです。**リテラシー達成度**（literacy expertise）とは、広い意味での児童・生徒のリテラシーの達成度を意味し、**リテラシー到達度**（literacy achievement）とは、標準テストの得点や、あるいは他の学校ベースの読み書きの力の測定結果を指すのが普通です。リテラシー到達度に対して、リテラシー達成度は、学校ベースという狭い概念にとどまらず、広範囲にわたるマルチリテラシーズ能力を含むものです。その中には、正統的な方法で量的測定をすることが難しいものが多く含まれます。学校言語以外の言語のリテラシーも入ってきますし、美術関係や、デジタルリテラシーズと関連したテクノロジーのスキルも入ってきます。さらに、**達成度**（expertise）という用語は、Bereiter（2002）が提唱する「進歩しつつある

8）(a)から(d)の各項目については、第3章（pp. 105-110）に詳しい説明がある。

問題解決力」(progressive problem solving) を含むものです。達成度が上がるにつれて、だんだんと無意識にまた自動的にタスクをこなすことができるようになり、そのためにメンタルリソース（たとえば、注意を向ける力、ワーキングメモリーなど）が解放されるのです。解放されたメンタルリソースを‘タスクに返して、より高度でより複雑なレベルで問題に対処することができるようになる’ということです (2002, p.355)。

第3章図6に示した社会的力関係と学力との関係と同じように、図9の**リテラシー達成度の枠組み**（円で囲んだ部分）は、教師と児童・生徒とのインターアクションを通してインターパーソナルなスペースが形成され、そのインターパーソナルなスペースの中で新しい知識が創造され、またアイデンティティの交渉が起こるということを示しています。リテラシーの伸びがもっとも期待されるのは、教師と児童・生徒とのインターアクションがリテラシーへの関わり度を高めると同時に、アイデンティティへの投資を最大限に伸ばした場合です。図9では、具体的に教師がリテラシー達成度を高めるために指導上何に焦点を当てるべきか、そのための言語によるインターアクションとは何か、を示したものです。もっとも効果的な指導とは、**意味へのフォーカス**（Focus on Meaning)、**言語へのフォーカス**(Focus on Language)、**言語使用へのフォーカス**（Focus on Use）を含むものです。意味へのフォーカスは、テキストの表面的な読みではなく、行間を読む批判的リテラシーを伸ばすものです。言語へのフォーカスは、言語(たとえば、フォニックス、文法、語彙など）がどのように機能するかという明示的な知識だけではなく、言語が社会でどのような機能を果たしているかということについての批判的気づき (critical awareness) を含むものです。児童・生徒が民主主義社会の一員となるためには、たとえば、問題を解明する、説得する、だます、仲間に入れる、仲間から外すなど、さまざまな社会的な目標を達成するために、言語がどのように使われているか‘読み込

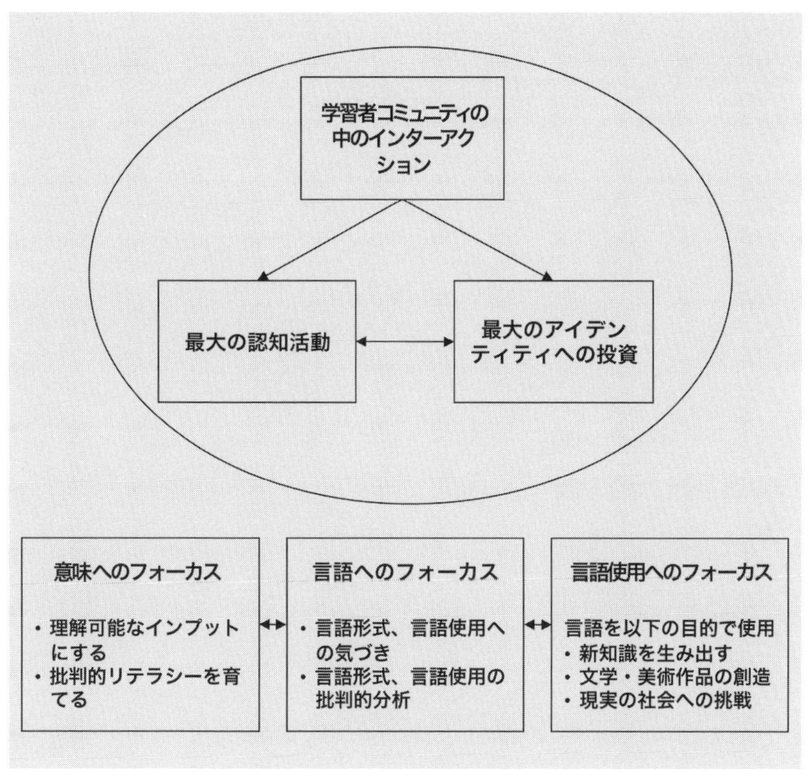

図９　リテラシー達成度の枠組み

む’ことができなければなりません。言語使用へのフォーカスは、ニューロンドングループの‘具体的状況下の実践’（transformed practice）に相当しますが、教室の中で実際にどのような活動になるかを具体的に示したものです。言語使用へのフォーカスの効果的な指導とは、新しい知識の生成、文学作品や芸術作品の創造、現実社会の課題に対する働きかけなどを可能にする指導のことです。

リテラシー達成度の枠組みは、教室での CLD 児の指導に当たって、担当教師の心の中にある子どもに対するイメージが暗示的に（また、ときには顕示的に）反映されるということを示したものでもあります。教室での指導がつねに子どもをある方向に位置づけるのです。子どもが（教師の心の中で）どう位置づけられているかによってアイデンティティの投資、認知・リテラシーとの関わりの機会が増えることにもなりますし、また減ることにもなるのです。図 8（p.127）に示した「入れ子型の教育のオリエンテーション」もまた、学びの空間を狭めるものか、あるいは拡げるものかという観点からみることができます。知識の授与・伝達的学びから社会構築主義的学び、社会構築主義的学びから変革教育学的学びへという一連の流れは、アイデンティティの投資と認知活動への関わり度から見て、比較的限界のあるものから、より拡張されたものへと変化していると言えます。

「リテラシーとの関わり度の枠組み」と「リテラシー達成度の枠組み」の中核にある原則は、次に述べるマルチリテラシーズプロジェクトのケーススタディによって、より明らかになると思います（Cummins, Bismilla, Chow et al., 2005）。

4. 変革的マルチリテラシーズプロジェクトの実践 ——ケーススタディを通して

第3章に一部紹介しましたが、Madiha Bajwaは、カナダに来て数カ月経ったころ、Kanta Khalid、Sulmana Hanifというふたりの友人といっしょに「新しい国」という題でウルドゥ語と英語のバイリンガルの本を書きました。挿絵はクラスメイトのJennifer Duに助けてもらい、「国を離れて新しい国に来るのがいかにつらかったか」について書いた20ページぐらいの本です。この3人は、(トロント市の)ヨーク地区教育委員会のMichael Cranny公立小学校の担任教師Lisa Leoniの7/8年生(中学1/2年)です。Kantaも Sulmanaも小学校4年生のときにトロントに来たので、当時ある程度英語が話せましたが、Madihaはまだ英語習得の初期の段階でした。

3人で協力して書いた「新しい国」は、社会科、英語(English language arts)、ESLの統合カリキュラムの「移民」(immigrants)という単元のプロジェクトでした。まず移民についての調べ学習から始め、これまでの自分たちの経験について話し合い、それぞれが得意な言語を使って助け合いながら数週間かけてこの話を書いたそうです。まずウルドゥ語で考えを出し合い、初稿は英語で書いて教師のフィードバックをもらい、それに基づいて初稿に手を入れて英語からウルドゥ語に訳したそうです。

通常の授業では、英語の知識が最低限度のレベルのMadihaのような生徒が、中学1年生の社会科の学習に参加することはほとんど不可能に近いことです。英語で自分の経験、考え、洞察について文章が書ける状況ではないからです。普通Madihaのような場合は、Madihaが教室に持ち込む知性、想像力、ことばの力とは関係なく、足りない面だけが注目されて「英語補強学習が必要な児童・生徒」というレッテルを貼られるのが普通です。ところが教室内の社会的構造をちょっと変えただけで、自分の知性、心情、アイデンティティを表現することが可能になったのです。Madihaのような経験は入国したばかりのCLD児には通常できないことです。カナダに移住するまでのすべての経験が埋め込まれている第一言語が再び学びのツールとなったのです。「新しい国」の作成では、自分のアイディアや経験したことを通して作文の内容に貢献することができたし、ウルドゥ語から英語、英語からウルドゥ語に訳す段階で、どのような語彙や表現を使って訳すかという話し合いにも参加できたし、また「新しい国」の出版やウエッブサイトでの公開を通して、自分自身に対する肯定感を共に味わうこともできたのです。

アイデンティティ・テキストとは、これまで繰り返し述べてきたように、教師の指揮のもとで生まれる教育空間の中で児童・生徒が作り出す創作作品の総称です。文章、口頭発表、映像、ミュージカル、ドラマ、またはそれらの組み合わせのマルチモードでさまざまな形式の作品の創作であり、その創作活動にアイデンティティが投資されるのです。アイデンティティ・テキストは、自分のアイデンティティを前向きに映し返してくれる鏡のような役割をします。そしてその作品が複数の聴衆（同級生、教師、親、祖父母、姉妹校のクラス、メディアなど）に読まれ、複数の読み手から肯定的なフィードバックが返ってくることによって、さらに自分自身を前向きに捉えることができるようになるのです。テクノロジーは常に必要不可欠な構成要素という訳ではありませんが、アイデンティティの投資と自己容認の増幅機のような役割をしてくれます。実際に作品を作る時にもテクノロジーが助けになるし、本物のような本を作ることを可能にしてくれるし、興味を持って読んでくれる聴衆の数を増やして前向きのフィードバックを得る可能性を高めてくれます。このように、社会的に抑圧された被支配者集団のCLD児が自分の知性、想像力、複数言語能力を示すアイデンティティ・テキストの創作では、抑圧的力関係の社会的な文脈の中で期待されるイメージとは全く違った自己イメージが投影できるのです。

次に、変革的マルチリテラシーズ教育学の5つの原則についてまとめます。

変革的マルチリテラシーズ教育学の原則

次の５つの原則は、リテラシーとの関わり度とリテラシーの達成度を高める上で、アイデンティティへの投資を最優先するものです。

- 変革的マルチリテラシーズ教育学は、知力、想像力、言語能力を持つ個人という前向きのイメージで子どもを捉える。もちろん知力、想像力、言語能力に個人差はあるが、個々の子どもがそれなりに輝く可能性を否定するものではない。
- 変革的マルチリテラシーズ教育学は、子どもとそのコミュニティの文化資本・言語資本(つまり、既存知識)を認め、その資本の基盤の上に教育を行う。
- 変革的マルチリテラシーズ教育学は、児童・生徒の認知活動への関わり度とアイデンティティへの投資を高めることを目標とする。
- 変革的マルチリテラシーズ教育学は、対話と批判的探求を通して児童・生徒が知識を生成すること、文学作品や美術作品を創造すること、そして現実の社会の問題に挑戦することを可能にする。
- 変革的マルチリテラシーズ教育学は、さまざまなテクノロジーのツールを駆使して、児童・生徒の知識の構築、文学・美術作品の創造、アイデンティティ・テキストの作成をサポートし、その知的作品を複数の聞き手・読み手に公開することを支援する。

以上の簡単な説明で明らかなように、変革的マルチリテラシーズ教育学は、教師の指導と学習者の学びを知識の授与・伝達のオリエンテーション、社会的構成主義的なオリエンテーション、変革教育学的のオリエンテーションの３面から捉えるものです。人がどのように学ぶかというブランズフォードら（2000）の実証的研究と必ずしもすべて一致するわけではありませんが、米国の落ちこぼれ防止法以降の標準テスト時代に、低所得層の子どもが教室の中で期待される教育上の前提とは、根本的に異なるものです。

5. 変革的マルチリテラシーズ教育学の実践における教師のエイジェンシー

計画的に教育システムを変えていくためにはいろいろな**選択**を余儀なくされます。管理職は行政ベレルで、校長は学校レベルで、そして教師は教室の中で選択を迫られるのです。このように教育者ならだれでも、自分のエイジェンシーを行使する力を持っています。つまり、学校というところは、教師も児童・生徒も過酷な状況に置かれていることが多いのですが、教師は決して無力ではありません。もちろん完全な自由があることはほとんどありませんが、児童・生徒に達成してほしいと望む社会的目標、教育的目標を決める力は教育者が持っています。CLD 児の言語や文化に対してどのような方針で臨むか、保護者コミュニティの教育参加をどのような形で進めるか、どんな教授法や評価法を採用するかなどについて、教師はつねに選択肢が与えられているのです。

ですから、アイデンティティの交渉が行われる対人空間の中で、不平等な社会の力関係に挑戦をする力も児童・生徒と教師によって創造できるのです。それは微小ながら、画期的な意味を持つものです。逆に低学力の原因が子ども自身の心や言語の機能的欠陥にあるという見方をすれば、CLD 児の文化、言語、アイデンティティ、知性、想像力などのすべてを子どものイメージから追い出してしまうことになります。

変革的マルチリテラシーズ教育学の教育方針にしたがって、学校独自の言語政策やリテラシー政策を具体化する際、本章で示した枠組みがたたき台として使えるのではないかと思います。その場合、学校全体で教育実践を‘協同点検’する上で、以下の問いかけが役に立つと思います。まず、次のような問いを投げかけてみてください。**われわれはいまどこにいるのか――われわれの現状とは何か？　われわれはどうなりたいのか――将来のビジョンは何か？　どうしたらそこまで行き着けるか――そのためのア**

クションプランは何か？

A. 学校全体のアイデンティティ

学校が児童・生徒と地域社会のエンパワーメントの場になることがどこまで可能か？

学校のリーダーたちがどこまで…

- 児童・生徒の文化的、言語的、知的リソースを尊重し、子どもに高い期待を寄せ、プログラムの中でこれらのリソースを積極的に活用できるか
- 優先事項として地域社会との強力な連携と保護者の教育参加を促すことができるか
- 児童・生徒の声が聴いてもらえる環境を創り出し、学びの場としての学校のオーナーシップを子どもたちと分かち合うことができるか
- 職員間の協力精神（エトス）を高め、多様な背景の子どもたちに効果的に教える知識ベースができるように、教師の支援がなされているか
- 児童・生徒と地域社会との連携のため、CLD児の文化・言語知識と繊細な感受性を兼ね備えた職員をリクルートできるか
- 言語とリテラシーの伸びに関する信念(ビリーフ)とそのゴール達成の方向を明確に示した言語政策を学校内に実現するプロセスに着手できるか

B. マルチリテラシーズの促進

児童・生徒が学校、家庭、コミュニティでマルチモード、マルチ言語のテキストを解釈し創作することをどこまで学校が奨励し、その機会を与えるか

どこまで、さまざまなテキストを理解し、創作し、批判的に話し合う社会的なネットワークに児童・生徒が関わることができるか？

媒体：電子媒体、印刷媒体、ライブ（例：ドラマ）
様式：聞く、話す、手話、映像、書く（複数モードか単一モードか）
言語：マルチリンガル、ユニリンガル
種類：標準語、グループ特有の言語
ジャンル：説明文、物語文、詩、音楽、など

C. 児童・生徒の学び

どこまで児童・生徒が批判的リテラシーと関わるために必要な認知的、言語的、心的態度を伸ばしているか？

1. 認知プロセスにおいて、児童・生徒はいつも…

- 既存知識と教科学習内容を結びつけているか
- 事実と概念構造が統合されているか
- 学びのプロセスの中でメタ認知的気づきを積極的にコントロール、調整、伸長しているか

2. 言語面のプロセスにおいて、児童・生徒はいつも…

- 理解可能なインプットから批判的リテラシーまで、広範囲の意味に焦点を当てているか
- 言語形式、ジャンル、言語と力関係との接点に焦点を当てているか
- 新しい知識の生成、文学作品や美術作品の創造、社会の現実に挑戦するなど、さまざまな言語使用に焦点を当てているか

3. 情緒面のプロセスにおいて、児童・生徒はいつも…

- 文章の生成過程でアイデンティティが肯定される経験をしているか

D. 教師の指導

どの程度まで、教師が児童・生徒のエンパワーメントとリテラシーとの関わり度を高めるような学びを可能にしているか？

どのぐらい教師が…

- 足場掛けをして文章の意味内容の理解を可能にしているか？
- アイデンティティ・テキストの作成の支援をしているか
- 教科学習内容の言語構造について明示的な説明をしているか
- 言語を使用する上で、言語コード、社会コードの区別について明らかにしているか
- 言語的、文化的多様性が学びのリソースになるように、教室の中のインターアクションを統率・指揮しているか
- 複数のテキスト形式やリテラシー学習仲間へのアクセスを奨励しているか
- リテラシー指導に関して保護者や地域社会のメンバーと連携をとっているか
- リテラシー活動の中で、リテラシーとの関わり度とアイデンティティの投資を最大限に伸ばす機会を作るように努力しているか

6. 結論

本章は、CLD児の低学力の要因、それに対する教育上の対処を考える上で役立つであろう、いくつかの‘レンズ’あるいは視点を提供しようとしたものです。明らかに低学力の要因もまた低学力を覆そうとする教育的介入も静的な状況、あるいは孤立した形で存在するものではありません。したがって、この問題の複雑さを反映するために、異なった専門領域の理論的枠組みを提示し、異なった問題に焦点を当てることができるようにしました。どの理論的枠組みも（筆者の意見では）相互に矛盾していないし、またいずれも実証的根拠に根ざしたものです。米国の落ちこぼれ防止法（例：テストの回数を増やせば成績が上がる）、またReading Firstという読みのプログラム（例：低所得層の子どもにフォニックスを集中して体系的に教えれば、学力のギャップが埋められる）に含まれた理論的前提とは対照的であり、変革的マルチリテラシーズ教育学がこのような特定のアプローチや万能薬の処方箋ではないことは明らかです。むしろ、これまでの科学的な研究成果（量的、質的の両方）を教育者が自らの学校現場と結びつけることができるような形でまとめたものです。ここで提唱したアプローチは、学校と社会を取り巻く不平等な抑圧的力関係に挑戦するという意味で変革的です。また21世紀の多様な社会的、教育的環境の中で必要とされるマルチモードのリテラシー、マルチリンガルの特徴を統合した点で、マルチリテラシーズの視点を反映しているものです。変革的マルチリテラシーズ教育学は、これまでの多くの教育改革と大きく異なり、どんな改革であっても、それが成功するかどうかを決めるもっとも本質的な要因が教師のエイジェンシー、つまり教師の主体的な働きにあると考えます。どんな教師でも自分の教室の中に、リテラシーとの関わりとアイデンティティの投資によって生み出されるエンパワーメントの文脈を創りだす機会もあるし、またその責任もあるのです。

引用文献

Anyon, J. (2005). What "counts" as educational policy: Notes towards a new paradigm. *Harvard Educational Review, 75*, 65-88.

August, D., & Shanahan, T. (Eds.) (2006). *Developing literacy in second-language learners. Report of the National Literacy Panel on Language-Minority Children and Youth.* Mahwah, NJ: Lawrence Erlbaum Associates Publishers.

August, D. & Shanahan, T. (Eds.) (2008). *Developing reading and writing in second-language learners: Lessons from the report of the National Literacy Panel on Language-Minority Children and Youth.* New York: Routledge.

Bankston, C. L., & Zhou, M. (1995). Effects of minority-language literacy on the academic achievement of Vietnamese youths in New Orleans. *Sociology of Education, 68,* 1-17.

Bishop, R., & Berryman, M. (2006). *Culture speaks: Cultural relationships and classroom learning.* Wellington: Huia Publishers, Aotearoa New Zealand.

Bereiter, C. (2002). *Education and mind in the knowledge age.* Mahwah, NJ: Lawrence Erlbaum Associates.

Bransford, J. D., Brown, A. L, & Cocking, R. R. (2000). *How people learn: Brain, mind, experience, and school.* Washington, DC: National Academy Press.

Cummins, J. (1981). The role of primary language development in promoting educational success for language minority students. In California State Department of Education (Ed.). *Schooling and language minority students: A theoretical framework.* (pp.3-49). Los Angeles: National Dissemination and Assessment Center.

Cummins, J. (1999). Alternative paradigms in bilingual education research: Does theory have a place? *Educational Researcher,* 28 (7), 26-32.

Cummins, J. (2001). *Negotiating identities: Education for empowerment in a diverse society* (2nd Ed.). Los Angeles: California Association for Bilingual Education.

Cummins, J. (2007). Pedagogies for the poor? Re-aligning reading instruction for low-income students with scientifically based reading research. *Educational Researcher, 36,* 564–572.

Cummins, J., Bismilla, V., Chow, P., Cohen, S., Giampapa, F., Leoni, L., Sandhu, P., & Sastri, P. (2005). Affirming identity in multilingual classrooms. *Educational Leadership, 63* (1), 38-43.

Cummins, J., Brown, K., & Sayers, D. (2007). *Literacy, technology, and diversity: Teaching for success in changing times.* Boston: Allyn & Bacon.

Early, M., Cummins, J., & Willinsky, J. (2002). *From literacy to multiliteracies: Designing learning environments for knowledge generation within the new economy.* Proposal funded by the Social Sciences and Humanities Research Council of Canada.

Fordham, S. (1990). Racelessness as a factor in Black students' school success: Pragmatic strategy or Pyrrhic victory? In N. M. Hidalgo, C. L. McDowell, & E. V. Siddle (Eds.),

Facing racism in education (Reprint series No. 21 ed., pp.232-262): Harvard Educational Review.

Freire, P. (1970). *Pedagogy of the oppressed.* New York: Continuum.

Gamse, B. C., Jacob, R. T., Horst, M., et al., (2008). *Reading First Impact Study: Final Report.* Washington DC: Institute for Educational Sciences.

Guthrie, J. T. (2004). Teaching for literacy engagement. *Journal of Literacy Research, 36,* 1–30.

Kozol, J. (2005). *The shame of the nation: The restoration of apartheid schooling in America.* New York: Crown.

Krashen, S. D. (2004). *The power of reading: Insights from the research. 2nd edition.* Portsmouth, NH: Heinemann.

Ladson-Billings, G. (1995). Toward a theory of culturally relevant pedagogy. *American Educational Research Journal, 32,* 465-491.

McCarty, T. L. (Ed.) (2005). *Language, literacy, and power in schooling.* Mahwah, NJ: Lawrence Erlbaum Associates.

National Reading Panel. (2000). *Teaching children to read: An evidence-based assessment of the scientific research literature on reading and its implications for reading instruction.* Washington, DC: National Institute of Child Health & Human Development.

Neuman, S. B., & Celano, D. (2001). Access to print in low-income and middle-income communities: An ecological study of four neighborhoods. *Reading Research Quarterly, 36,* 8–26.

New London Group (1996). A pedagogy of multiliteracies: Designing social futures. *Harvard Educational Review, 66,* 60-92.

No Child Left Behind Act of 2001, Pub. L. No. 107-110 (2001).

Norton, B. (2000). *Identity and language learning: Gender, ethnicity and educational change.* London: Longman.

Ogbu, J. U. (1978). *Minority education and caste.* New York: Academic Press.

Ogbu, J. U. (1992). Understanding cultural diversity and learning. *Educational Researcher,* 21 (8), 5-14 & 24.

Organisation for Economic Cooperation and Development. (2004). *Messages from PISA 2000.* Paris: Author.

Portes, A., & Rumbaut, R. G. (2001). *Legacies: The story of the immigrant second generation.* Berkeley: University of California Press.

Reyes, M. L. (2001). Unleashing possibilities: Biliteracy in the primary grades. In M. L. Reyes & J. Halcón (Eds.), *The best for our children: Critical perspectives on literacy for Latino students* (pp.96–121). New York: Teachers College Press.

Rothstein, R. (2004). *Class and schools: Using social, economic, and educational reform to close the Black-White achievement gap.* Washington, DC: Economic Policy Institute.

Skourtou, E., Kourtis-Kazoullis, V., Cummins, J. (2006). Designing virtual learning environments for academic language development. In J. Weiss, J. Nolan, J. Hunsinger & P. Trifonas, (Eds.) *The international handbook of virtual learning environments*. (pp.441-467). Dordrecht: Springer.

Skutnabb-Kangas, T. (2000). *Linguistic genocide--or worldwide diversity and human rights*. Mawah, NJ: Lawrence Erlbaum Associate

Snow, C. E., Burns, M. S., & Griffin, P. (Eds.). (1998). *Preventing reading difficulties in young children*. Washington, DC: National Academy Press.

Toohey, K., Manyak, P. & Day, E. (2006). ESL learners in the early school years: Identity and mediated classroom practices. In Cummins, J. & Davison, C. (Eds.). *International handbook of English language teaching*. (pp.545-558). New York: Springer Science + Business Media LLC.

U. S. Commission on Civil Rights. (1973). *Teachers and students: Differences in teacher interaction with Mexican-American and Anglo students*. Washington, D.C.: U.S. Government Printing Office.

Vygotsky, L. S. (1978). *Mind in society: The development of higher psychological processes*. Cambridge, MA: Harvard University Press.

第5章

理論と実践との対話
——ろう児・難聴児の教育

Jim CUMMINS

第1章から第4章まで、バイリンガル教育の実証的研究に基づいた理論的根拠についていくつか述べてきました。第4章で強調したように、理論というものは「正しい」か「間違っているか」ではなく、「適切である」か「有用である」かという観点から判断するべきものです。「適切である」ためには、理論が実証的研究の結果と合致したものであり、かつ全体をひっくるめて一貫した説明ができるものでなければなりません。また「有用である」ためには、理論的説明や枠組みによってどのぐらいまで教師や教育行政が直面する課題に対して、より深い洞察が得られるかが鍵であり、その結果どのぐらいより効果的な、あるいはより啓発された政策や取り組みが実行に移されるかということです。そこで本章では、これまで世界のさまざまな状況に置かれてきた移住児童・生徒やバイリンガル児の教育のあり方を理解するために開発されてきた理論をろう児・難聴児の教育に当てはめて考えてみたいと思います。問題の焦点は、まず(a)理論がどのぐらいまでろう教育の実証的な研究成果と一致するか、(b)効果的なプログラムの導入や教育実践に当たって、行政、教師、保護者に役に立つような形で、どのぐらいまで理論がこれまでのろう教育の研究成果を総括できるかということです。

まず初めにろう児・難聴児の教育の歴史を振り返り、これまでどのような課題があったか、現在論争の的になっている課題は何かということについて簡単に述べます。そのあとで、第1～4章で述べてきた広い理論的な枠組みの中で、ろう児の言語習得や学力の獲得に関するこれまでの研究成果とその解釈がどのぐらい適切かつ有用であるかということについて検討したいと思います。

1. ろう児の教育に関する課題と論争

ろう教育の歴史はいくつかの時代に区分することが出来ます。第一期は、1760年にフランスのパリでAbbé de l'Epéeがろう学校を設立したことから始まります。Gibson, Small & Mason (1997) は、「そこから自然に生まれたのは、ろう児にとってもっとも重要な環境である、手話が自然に育つろうコミュニティの出現であった」(p.231) と言っています。1800年の初めになると、米国の教育家であるThomas Gallaudetが、フランスで開発されたろう教育の方法を学ぶためにパリに行きます。その後、パリのろう学校で教師をしていたLaurent Clercといっしょに帰米し、1817年に米国初のろう学校を創立したのです。当時のアメリカ手話 (American Sign Language, ASL) は、Clercが使用していたフランスの手話とアメリカ人ろう者が使っていた地域の手話とが混ざった形で生まれたと言われます。Gibsonら (1997) は、1800年代のその後のバイリンガルプログラムの発展について、次のように述べています。

> その後数十年間にわたって、多くのろう学校が誕生、教師も職員もろう者であり、教室の中ではASLが使われていた。この時代は、ろうコミュニティの「黄金時代」として知られる。口話主義の興隆とともに聴者の教員が増すようになった19世紀の終わり頃まで、この「黄金時代」は続いたのである。

「ろう教育の黄金時代」は、1880年にイタリアのミラノで開催された国際ろう教育者大会で口話法のみを教授法とするという方針が採用されたことによって終わりました。そしてこのアプローチが、その後ほぼ100年にわたってろう教育を支配することになり、また減る一方であった世界各地のろう学校のアプローチとして取り入れられたのです。口話法というのは、補聴器の助けを借りて残存聴力を伸ばして、読唇と音声を発する力を伸ばそうとするものです。聴覚・口話法のみに徹底するという理由は、もし手話という「杖」に頼ることを許されると、子どもは音声言語を伸ばす努力をしなくなるからだというのです。Komesaroff（2008）は、オーストラリアで奨励された口話法がいかに子どもたちのアイデンティティの壊滅につながったか、ということについて次のような生々しい状況を描いています。

> 特に教育を通してろう者が受けた苦難の話にはショックを受けた。私が会ったろう者は口話法の教師たちによっていかに辱められたかについて生々しい絵を描いてみせてくれた。そればかりでなく、学齢期全体を通じて、強制的に音声と読唇でコミュニケーションをとらされ、Auslan（オーストラリア手話）へのアクセスを否定されたという。ろう家族に生まれたろう児は、学校に入ってすぐに、聴者の教師たちがろう児たちの言語である手話を使ったこともなければ、使うことを許容もしないことを発見するのである。ろう児たちは罰せられないようにと、教室の机の下に手を隠したりして、普通では考えられないところでこっそりと手話を使ったのである。教師に捕まると手の上に座らせられたり、机の引き出しの中に指を突っ込ませられたりした。私が出会った成人のろう者たちは、自分が受けた教育に対していまだに怒りをかくせない。読み書きの力が十分つかなかったのはAuslanのせいだという教師の言葉を信じ、自分たちの低学力は第一言語である手話のせいだと思ったのである。

Gibsonら（1997）は、「口話法によるモノリンガルアプローチが英語の読み書きの習得に悲惨な結果をもたらしていることに気づき始めたのは、1970年代の初めごろだと言われている。口話法のプログラムを終えたろう児の多くは、ASL も英語も出来ないまま卒業していったのである」(p.232) と言っています。Swanwick (2010) も、英国やその他の国の研究でも「ろう児は、読みの力が平均 9 歳ぐらいで学校を出ていく。発話も分かりにくく、強制的な特訓を受けたにも関わらず唇を読み取る力も聴者とほとんど変わりないぐらいであった」(p.149) という観察をしています。つまり、発話と読唇のトレーニングに焦点を合わせた口話法では、ろう児の発話は聴者に分かりにくく、また読唇術を通して聴者の発話を理解する力も全く特訓を受けていない聴者の域を越えられない、ということです。

1970 年代になると、聴覚・口話法のみを使用するというアプローチがトータルコミュニケーションに入れ替わっていきます。トータルコミュニケーション (TC) とは、音声言語を話すと同時にその音声言語に対応した形で手話単語を表出する方法のことです。このような音声言語の手話表現は、教師の間でもまたろうコミュニティの間でも多くの国々で論争の的になってきました。たとえば、カナダのようにろうコミュニティの大部分がこのような音声言語の手指コード化を、聴者の教師や教育政策関係者から押しつけられたものとして拒否する国もあります。Gibson et al. (1997) はこの視点を強く強調して、音声言語を視覚的に表現したとしても、その考え方においてモノリンガルアプローチと同じだと次のように言っています。

> このような人為的なシステムは、どれも自然な視覚言語の原則に従わないため、幼いろう児には大きな負担になる。しかも標準英語の文法を何とかして手で表示しようとするために、英語の自然の流れも変えてしまうのである(動詞の活用やタイミングなど)。ASL も英語も変形してしまう、このような人工的な手話システムでは、豊かな会話を持続することはできないし、このような不完全なメッセージのやりとりが原因となって、ろう児たちが教育上不利な立場に追いやられてきたのである。(p. 233)

TC アプローチの効果に対する疑問は、ろう児の学力が依然として改善されなかったことでいよいよ強まっていきます。Prinz（1998）は、このアプローチの有効性を知る一つの方法は、実際に学力面で どのような効果をあげたか測定することだと言っています。しかしその結果はあまり芳しくなく、たとえば「TC アプローチを 25 年間続けても、高校を卒業するろう児の学力は、平均小学校の 3、4 年生のレベルにしか到達していなかった」（Allen 1986）（p.v）というのです。

TC アプローチの失敗の結果、自然手話と音声言語である社会の主要言語を授業の媒介語とするバイリンガル／バイカルチュラルアプローチの導入の可能性とその理論的根拠に、議論が移っていきました。最初のバイリンガル／バイカルチュラルアプローチの取り組みは、1980 年代の初めにスウェーデンで始まったもので、その後ほかの国（たとえば、ヨーロッパ、北米、そして日本）にも広まっていきました。しかし、バイリンガル／バイカルチュラルアプローチはその理論的、実践的根拠、適切な導入の方法などさまざまな領域で、依然として問題が残ったままです。たとえば、北米その他でも、人工内耳手術を受けたろう児の場合、ASL の流暢度を高めることが英語習得の妨げになるのではないかという主張があります（以下に示す研究では全く反対の結果が出ているのですが）。また ASL と英語のバイリンガル／バイカルチュラルプログラムでは、ASL を媒介とした授業の役割について議論が続いています。ASL を通して獲得された概念や言語スキルが転移して英語のリテラシーの発達に寄与するかどうか、という問題です。

バイリンガルプログラムの導入を困難にしているのは、ろう教育に携わる教員や教育関係者が聴者であり、自然手話を流暢には使えない人がほとんどだということです。たとえば Komerasoff（1998）は、オーストラリアのろう教育関係の教員 868 名のうち（1990 年代）、ろう者あるいは難聴者はたった 3％以下だったと言っています。確かに、多くの国でろう者教師が不足していることがろう児の学校教育の失敗の直接の原因だと言われています。4年生レベルの学力では、学校を卒業して教師になる資格を取るために大学に入学することは難しいのです。

さらに事態を悪化させているのは、人工内耳手術を受ける幼いろう児の数が増えていることです。医学の専門家や教育行政に関わる人の多くが、人工内耳手術を受けることがろう児に対する「治療」であると考え、自然手話を習得する必要もバイリンガルプログラムに参加する必要もないと考えるのです。ある状況では（たとえば、カナダのオンタリオ州など）、人工内耳手術を受けたろう児は聴覚・言語治療（Auditory Verbal Training, AVT）を受けて、言語を聞き分ける耳の「訓練」が必要だと主張しています。しかしAVTの専門家は、Snoddon（2008）が指摘しているように、AVTの訓練を受けるろう児はASLの習得をしないことを必要条件とし、ASLに接触したり、ASLの指導を受けたりするとAVTプログラムが中断されるというのです。その理由としては、音声を司る脳の領域が視覚を司る領域に移動するため、音声言語を習得する力とその動機づけを妨げることになるということです。Snoddon（2008）は、このような考え方は、バイリンガル育成において、これまでの研究で全く支持が得られていない二言語分離説（Separate Underlying Proficiency, SUP）に立脚するものだと言っています。スウェーデンではこれとは全く逆で、人工内耳移植の子どももスウェーデン手話を習得するように強く奨励されていると言います（Bagga-Gupta 2004; Preisler & Ahlström 1997）。

以上の簡単なろう教育の歴史で明らかなように、1800年代後半に聴覚・口話法が広く普及して以来、ろう教育は論争に論争を重ねてきました。論争は、ろうコミュニティがろう者の社会的、教育的、政治的平等を求める運動とともに、多くの国々で現在も続いているのです。本章の焦点はろう児の教育問題で、特に次のような疑問に対してどのぐらいまで研究の裏づけや理論的根拠があるかということです。（a）ろう児の学力不振の原因は何か、(b) モノリンガルではなくバイリンガルプログラムの導入のあり方とは、(c)社会の主要言語と手話の両方のリテラシーを伸ばすための教授アプローチとは、などについて明らかにすることです。本書の第1～4章では、聴の子どもを対象とした研究から得られた理論的原則を提示してきました。このような理論的原則がどの程度までろう児の学力獲得のパターンや学力不振の説明に役立つのでしょうか。また（バイ）リテラシーを伸ばすための効果的なアプローチとは何かということについて、どのぐらい示唆を与えてくれるのでしょうか。

2. ろう教育に適用された理論的原則

本節では、これまでの4つの章で触れた5つの課題について考えてみましょう。目的は、ろう児の言語面、学力面の伸びに関する研究がどのぐらいまで、一般のバイリンガル児の発達に関する先行研究から得られた理論によって説明が可能かということです。5つの課題を質問の形で提示すると次のようになります。

- ろう児の低学力の原因は何か
- 幼児期に手話を伸ばすことがその後の学力の伸びにどのぐらい貢献するか
- 手話の力と主要言語のリテラシーの伸びとには、どのような関係が見られるか
- 自然手話を使った授業と主要言語である音声・書記言語を使った授業の両方を含むバイリンガル教育は、ろう児にどのようなプラスをもたらすか
- ろう児・聴覚障害児の指導では、教育上どのようなことを優先させるべきか

ろう児の低学力の原因は何か

第3章、第4章では、従属的な立場にあるマイノリティグループの学業不振における社会の力関係について述べましたが、ろう教育においても、ろう児の学力の伸びや社会的発達を阻んで来たのは、明らかに抑圧的な力関係なのです。このようなろう児の低学力の原因となる教育環境の社会的要因には、次のようなものが考えられます。

- ろう児は、身体的、言語的な障害があり、教育的に限界があるものと医師や教育者に見られてきた。他の従属的なマイノリティグループと同じように、支配者グループと比べて先天的に劣るものと見なされてきたのである。
- ろうコミュニティの自然手話は、1960年代、1970年代に手話についての研究成果が出るまで、世界中どこでも言語としての価値が認められていなかった。この手話に対する低評価が学校での手話の使用禁止を1世紀以上にわたって正当化してきたのである。
- 同様にろうコミュニティの文化も、ろう教育にとって存在しないもの、あるいは関係がないものと見なされてきた。
- ろう児は、言語の基礎づくりが大事な幼児期に学校の内外で公的支援がないまま放置され、言語発達の適齢期が過ぎるまで必要な言語刺激が否定された状況に置かれるため、言語の力も読み書きの力も未発達のままになるのである。
- 前に述べたように、聴覚・口話法やトータルコミュニケーションアプローチの学校教育では、ろう者の教師も自然手話の指導もどちらも排除されてきた。その結果、ろう児は、ロールモデルとなるろう者の成人との接触が最小限に限られ、アイデンティティにおいても自分を恥じる気持ちを内面化することが多かったのである。

要するに、ろう児の教育は歴史的に見ると、明らかに「被害者に原因をなすりつける」というケースと言えます。彼らの言語も文化もその価値が否定され、学校では積極的に抑圧され、学校での失敗は、彼ら自身の言語的、知的欠陥のせいだとされたのです。教師と生徒の間のインターアクションを通して創造される対人空間の中でも、最低限度の学びしか起こらなかったのです。なぜなら、指導では主に（障害で遮られた）聴覚のチャンネルを通して言語コードを伝えることに焦点が当てられ、自分自身の言語的、学問的、知的劣等感を内面化するようなアイデンティティ交渉しか行われませんでした。ほかの従属的マイノリティのケースと同様に、このような障害児をつくり出す教育的取り組みが批判の目を遮るスクリーンの役を果たして、一般社会の抑圧的力関係をさらに強める形になっていたのです。

Shultz & Fernandes（2010）は、現代のろう研究やろう教育問題で、上記のような社会的力関係と関連づけた議論は一切しないと言っています。ろう児やろうコミュニティが直面する現代の社会問題、教育問題に対処するには、植民地主義を引き合いに出して比較したり、「時代遅れの差別例」（p.30）に依存することは役に立たないという主張です。この意見は極めてナイーブなものと言わざるを得ません。Snoddon（2008）や Small & Mason（2007）、その他多くの識者が指摘するように、医学、社会、教育関係の組織や機関が、ろう児の自然手話への適切な早期アクセスを制度的に否定し、それがゆえにろう児が低学力に甘んじ、長じては社会の周辺部に追い込まれることになっているのです。

したがって、本節の第一の課題に対する答えは次のようになります。ろう児の学業不振のルーツ、原因は、ろう児の言語と文化を抑圧し、言語発達の早期におけるしっかりとした第一言語へのアクセスを否定したことです。その結果、過去においてもまた現在でも、多くのろう児にとって、教室内の認知的刺激と言語によるインターアクションが、極端に限られたものとなっているのです。

幼児期に手話言語を伸ばすことがどのぐらいその後の学力の伸びに貢献するか？

第１章と第３章で述べたように、これまでの研究データによると、母語のレベルによって子どもの第二言語の伸びが予測できるということです。このような関係が、第一言語が視覚言語で、第二言語が音声言語の場合にも言えるのでしょうか。

実際の研究データに当たるまえに強調しておきたいことは、自然手話を伸ばすことは、ただ主要言語やそのリテラシーを伸ばすということよりもずっと深い意味があるということです。どんな言語でも同じですが、第一言語というのは、仮にそれが手話であっても、思考や問題解決のツールであり、周囲の人々との関係づくりを可能にすると同時に、思考の世界、抽象的な世界を知るためのツールなのです。言語が仲介することによって子どもは周囲の世界との関係づくりができますし、また他人との言語によるインターアクションを通してアイデンティティが形成されていくのです。子どものアイデンティティ形成に関わる情緒的、認知的傾向は、主に言語によるインターアクションを通して幼児期に心に埋め込まれるものです。子ども（そして成人）が自分自身をどう思うかということは、周囲の人々にどのぐらい価値のあるものと見なされ、評価されるかということと密接な関係にあります。したがって、幼児期にしっかりとした言語的、認知的基盤を作ることは、その後の知的発達にとって重要であるばかりでなく、子どもの知性とアイデンティティを肯定する社会的コミュニティのメンバーとなるためのパスポートとしても重要なのです。

同じように、学校という環境の中でバイリンガル・バイカルチュラルプログラムが手話を使用するのは、ただ現地語習得と教科内容理解への導火線であるというだけでなく、さまざまな問題に対して自分の考えを表明し、批判的にモノを考えるために欠かせないツールとして大事だからです。手話についての知識や気づきを高めることの理由は、家庭で使用している英語や日本語の基礎をしっかり作るのと同じことです。もし言語面、概念面で現地の主要言語への転移が何らかの形であったとしたらそれはボーナスであって、手話を通して子どもの学力や思考力を高めることの第一の目的ではないのです。

Goldin-Meadow & Mayberry（2001）は、人生の初期の間にしっかりとした第一言語を獲得することが、極めて重要だということを強調していますが、同時にそれがろう児によっては大きな挑戦となることも指摘しています。

> そしてそのタイミングが重要である——子ども時代の後半あるいは思春期になって初めて手話と接触した子どもは、生まれてからずっと手話に接してきた子どもと比べると、手話の力が高度には伸びていないのである。…さらに、子ども時代に（手話でも音声言語でも）十分な言語が獲得できなかったろう者は、ASL でも英語でも、またどんな言語でも、成人になってからでは追いつけず、母語話者レベルの言語能力は獲得できないのである。

そして ASL に関する知識と英語の読みとの関係について、先行研究を踏まえて次のようにまとめています。

> 結論として言えることは、ASL を知っているということが書記英語の読みの習得を妨げるのではなく、実は、ASL が英語の読みの習得を助けるのである。ASL と同時に手指言語（manually coded English, MCE）が安定して伸びたろう児は英語の読みも安定した伸びを示したが、MCE だけの子どもはそうではなかった。事実、子どもの親がろう者であるか聴者であるかという要因を統計的にコントロールすると、手話の力が読みの力を予測できるもっとも強い要因だったのである。明らかに、一つ言語を知っているということは、たとえそれが書記言語の構造と大きく異なる手指言語であっても、言語を全く知らないよりは読みの力の獲得にプラスになるということである。(2001, p.226)

上の引用の最後の文が問題の核心に触れるところです。あまりにも多くのろう児が 家庭の中で両親や保護者との間に共通の言語を持たずに成長します。これらのろう児の多くが、言語によるやりとりを通して第一言語を獲得し、概念知識を伸ばす、適切かつタイムリーな機会を与えられていないのです。言語発達の大切な時期に、最低限度の言語のインプットしか与えられずに過ごしてしまうのです。このためそれ以降の、しっかりとした言語力と認知力を必要とする学力の獲得は、極めて困難な戦いになるのです。よく文献で指摘されていることですが、第一言語としてASLを獲得するろう者の親を持つろう児と、幼児期にASLの習得ができなかった子どもの学力の差は、幼児期の言語刺激の差を反映したものなのです（例：Prinz & Strong 1998）。

Mayberryとその同僚が行った研究（Mayberry 2002参照）は、適齢期にしっかりとした第一言語の基礎を伸ばさないと、どういうことになるかということを浮き彫りにしています。たとえば、Mayberry and Lock（2003）は、言語に初めて接触した年齢で、将来の文法情報を処理する力が予測できると言っています。言語接触初体験が6歳あるいはそれ以降にずれこんだ場合は、家庭の中で適切な時期に第一言語（手話あるいは音声言語）に十分な接触があって、学校で第二言語である英語を習得したろう者や聴者と比べて、英語の文法判断力と理解力の正確度が低かったと言っています。そしてその研究結果を次のようにまとめています。

> 本研究を通して分かったことは、子ども時代の初期に言語を獲得した成人は、聴者であれろう者であれ、また最初の言語が音声言語であれ手話であれ、第二言語を母語話者に近いレベルまで習得することができていた。これとは対照的に、人生初期に言語へのアクセスがほとんど、あるいは全くなかったろう者は、第二言語の習得度がずっと低かった。このような結果を見ると、音声言語であるか視覚言語であるかということとは関係なく、言語獲得の開始時期が一生を通しての言語習得能力を著しく変えてしまうものだということが分かる（p.369）。

同じように、Goldin-Meadow and Mayberry（2001）も、ろう児がしっかりとした読みの力を伸ばすためには、早い時期に言語の基礎づくりをすることがいかに大事かということを次のように強調しています。

> ろう児をReader（本を好んで読む人、読書家）に育てるための第一歩は、まずどんな言語でも、言語そのものを持っているかどうかを確かめることである。ろう者の親を持ち、ASL（あるいはほかの自然手話）を学んでいるろう児はこの段階での介入は必要としていない。聴児が話し言葉を学ぶのと同じペースで言語を自然に獲得しているからである。しかし、聴の親を持つろう児は、いろいろな形の介入が必要である。機能性難聴の早期発見、教育システムへの早期参加、手話の流暢な大人との継続的接触、などが、先天的ろう児が言語にアクセスし、言語をしっかり学ぶために重要なのである。

要するに、これまでの先行研究を通して共通して言えることは、学齢期前に言語でしっかりとした概念的基礎を獲得することがその後の学校の主要言語のリテラシーの伸びの前提となる、ということです。どの国でも、ろうコミュニティへのアクセスがある子どもにとっては、あるいは人為的にアクセスが可能になった子どもにとっては、ろうコミュニティの自然言語が初期の概念形成にもっとも適切な言語なのです。ろうコミュニティへのアクセスが与えられなかったろう児は、音声コードの習得のためにかなりの時間を費やすことになります。そしてまた「（音声）コードを見破る」ことに集中するために、人とのコミュニケーション、概念形成、体験と深く関わるために言語を使用する機会が犠牲になるのです。主要言語に対応した手指言語の使用は、まだ論争のただ中にあり、その議論は本書の範囲を越えるものですが、人為的に作られた手話システムは、ろう児にとって第一言語として習得しにくいものであり、複雑なアイディアを表現したり、概念形成のツールとして用いる上で柔軟性を欠くものです。

本節初めに掲げた課題の回答としては、これまでの研究が次の提言を支持しています。人生初期に手話その他の言語的手段によるインターアクションを通して、しっかりとした言語の基盤を確立することがその後の認知・言語の発達に決定的な影響を与える、ということです。

手話力と主要言語リテラシーの伸びとの間にプラスの相関があるということはどの程度実証されているか

この課題は言い換えると、どのぐらいまで相互依存仮説（Cummins 1981）が手話言語能力と主要言語のリテラシーの伸びとの関係に関する研究で支持されているか、ということです。過去20年にわたって、特にASLの力と英語のリテラシーの力との関係を調べた実証的研究がいくつかあります。これらの研究は第3章で述べた相互依存説という観点に立って研究結果を解釈したものです。この問題に最初に着手したのはPrinz and Strong（1998）（Strong and Prinz 1997も参照）ですが、その結果についてここで詳しく説明しておきたいと思います。その他の研究は同じような結果のものなので、簡単に説明を加えるにとどめます。いずれも異なる知覚運動形態（手話／音声）あるいは同じ形態（音声／音声）かということと関係なく二言語共有基底説という概念が支持されているのです。

Prinz and Strongの研究は155名の8～15歳までのカルフォルニア州のろう寄宿学校のろう児たちを対象としたものです。そのうちろう者の母親を持つろう児が40名、聴者の母親を持つろう児が115名でした。研究の目的は次の二つの主要研究課題に答えることです。(a)8～15歳までのろう児のASLの力と英語のリテラシーとの間にはどのような関係が見られるか、(b)ろうの親を持つろう児は、聴者の親を持つろう児よりも、ASLの力と英語のリテラシーにおいてより優れているかどうか。第三の課題は、ASLの力によってこれら二つのグループの英語の教科学習言語能力の差が説明可能か、ということでした。

Prinz and Strong は、研究の結果を次のように報告しています。

> ２年目までの研究結果は、ASL の力と英語のリテラシーとの間に高い相関関係が見られたということである。さらに、ろうの母親を持ったろう児の方が聴の母親を持つろう児よりも ASL もまた英語の読み書き能力も優れていた。ということは、先行研究が示すように、親が聴者かろう者かということによって子どもの言語面、学力面の力が予測できるということである――特に幼少期の間は。(1998, p.53)

Prinz and Strong は、さらにろう者の母親と聴者の母親を持つ子どもの英語のリテラシーの差が、これら二つのグループの ASL の力の差に起因する可能性があると報告しています。ASL レベルを統計的に一定にすると、ASL 上位グループと中間グループでは英語のリテラシーの得点の差が消えたが、ASL 下位グループでは差がそのまま残ったというのです。そしてこの点について次のような説明をしています。

> つまり、ASL の力が中位あるいは高度の場合、母親がろう者のケースと聴者のケースを比べると、ろう者の母親を持つろう児の方が英語のリテラシーがより優れていたわけではない。ということは、(母親が聴者であるかろう者であるかということとは関係なく) ASL の力によって二つのグループの差が説明できたということであり、この結果はカミンズの認知・言語面における相互依存説と一致するものである。ASL の力が低い場合は、母親がろう者のグループのメンバーである方が有利だという結果が出たが、それは多分、親に受け入れられる、親子のコミュニケーションがうまくいく、情緒面が安定する、というような理由によるのではないかと思われる。

Strong and Prinz（1997）は、このような研究成果の意義を次のようにまとめています。「この研究が意味することは直接的かつ強力である。たとえASLの流暢度が中位であっても、ろう児の英語習得は、ASLの恩恵を受けるということを示唆している」と言っています。

Niederberger（2008; Niederberger & Prinz 2005も参照）は、8～17歳までのろう児39名を対象にしたスイスの研究で、書記言語習得のサポートとなる言語能力の習得は、音声言語の代わりあるいは音声言語を補足するものとして、自然手話を伸ばすことで「可能」になるかどうかということを検証したものです。児童・生徒のフランス語の書記言語の形態素–文構成、お話や物語を書く力、フランス語の会話力、フランス語の手話、との間に高い相関関係が見られたと言っています。そしてこのことは、自然フランス手話とフランス語の音声言語／書記言語の間に、言語やモダリティを越えた関係があることを意味します。そしてこのことが二つの音声言語と書記言語の関係に見られたと同じように、手話と書記言語の間にも相互依存関係があるということを示しています。

ASLと英語のリテラシーの間に正の相関があることは、ほかのいくつかの研究でも支持されています。たとえば、Hoffmeister, de Villiers, Engen, & Topol（1998）は、8～16歳のろう児50名について調べ、ASLと読解力の間に高度のプラスの相関が見られたと報告しています。

Fish, Hoffmeister, & Thrasher（2005）は、米国北東部のバイリンガル・バイカルチュラル学校の2校で、ほかに障害のない7歳以上のろう児全員（N=190, 7～20歳）にテストを行いました。そのうちの40名はろう者の親を持ち、150人が聴者の親を持つろう児でした。スタンフォード・アチーブメント・テスト（Stanford Achievement Test）を使って調べたところ、児童・生徒のASLの力と英語の語彙力に高い相関が見られたと言っています。そしてこの相関関係は、被験者全体でも、また上記の二つのろう者グループでも見られたそうです。またろう者の親を持つろう児の方が、聴者の親を持つろう児よりも、ASLでもまた英語の語彙でも、より高い成績が得られたと報告しています。

Padden and Ramsey（1998）も、4～8歳の31名の子どものASLの力と英語の読みの力の間に高い相関が見られたと言っています。そしてASLと書記英語の関係に学習者の注意を引いて、人為的に転移を促進する教授法が開発されるべきではないかと次のように言っています。

> 明らかになったことは、ASLの形態素や文構成と同様に、一連の言語スキル、特に指文字（fingerspelling)、頭文字語（initialized signs)、読み、ASLの文の短期記憶、などの間に相関関係があるのではないかということである。ASLと指文字のテストで好成績をあげたろう児は、読解力の測定でもよい成績をあげるという結果が得られている。

> ろう者が読む力をつけるには指文字や頭文字語をツールとして活用することを学ばなければならないし、学ぶためには指導のもとで練習が必要である。ろう児はこのことを…教師または家庭の中の読む力を持ったろう者から学んだり、あるいは読む力を持つ手話話者のろう者となるために必要なこれらのツールが、暗黙のうちに容認されている教育環境の中で学ぶのである。(p.39)

Singleton, Supalla, Litchfield and Schley（1998）は、聴の親を持つ年長児（9歳以上）のASLと英語を書く力との関係について次のような報告をしています。年少児(6～9歳)については関係が見られなかったそうです。

> われわれの暫定的な結果では、9歳を過ぎると、聴の親を持ち流暢なASLを使うろう児は、ASLの流暢度の低いろう児よりも、英語を書くタスクで優れた点が見られた。現時点では、年少児（6～9歳）の

間ではASLと英語を書く力の間にそのような相関関係は見られない。しかし、年少のろう児は教室内の活動でもまたわれわれの調査の作文でも、書いた英文の量がかなり少なかったということも重要な点である。現時点で使用している作文の分析方法が、そのような短い作文の大事な差を捉えることができなかった可能性も考えられる。と同時に高度のASLの力とより高度な英語を書く力は、リテラシー前の段階（preliteracy stage）を越えないと現れないという可能性もある。(p.25)

シングルトンが同僚と行ったもう一つの研究は、72名のろうの小学生を対象としてASLの力と英語を書く力との関係を調べたものです(Singleton, Morgan, DiGello, Wiles, Rivers 2004)。その結果、次のことが分かったと言っています。

ASLの力の低いろう児は、頻度数の高い語彙と限定された機能語を繰り返し使って、定型表現を駆使した作文を書くのに対して、ASLの力が中位あるいは高度なろう児の作文は、定型表現には頼らず、自分の考えを伝えるために、低頻度で斬新な語彙を使う傾向が見られた。(p.86)

シングルトンらは結論として、ろう児の作文指導では、子どもにとって意味のある実質的かつ本物の目的のために作文を書くことの重要性を強調して、次のように言っています。

終わりに、何か子ども自身が言いたくなることのあるストーリーを書かせることが重要だということを強調したい。繰り返しが多く、決まり文句に頼った文章を書くろう児は、作者としての自分の本当の姿を見せてはいないのである。ASLの力の高いろう児はストーリーの中で文法的正確さは欠いても、オリジナルで創造的な表現を使って書いている。こういうろう児は自分で考え、何かを創造しているのである。したがって、ASLでは豊かに表現される子どものフレッシュな考えを何とかキャッチして、英語のリテラシーのスキルと結びつける指導テクニックを開発することが、教育者としてのわれわれの責任だと言える。(2004, p.100)

さらに、相互依存仮説をASLと英語の読みというモダリティの異なる二言語に応用した研究は、Chamberlain and Mayberry (2008) の研究です。先天的ろう者で主にASLを使う成人40名を対象に、ASLと英語を読む力との関係を調べたものです。8年生の読みの力を分水嶺として、被験者をよく読めるグループとあまり読めないグループに二分しました。読めるグループは、ASLのレベルが文構成および物語の理解力において高かったのに対して、読めないグループはASLのレベルが低かったのです。ASLの文構成の力および物語の理解力が、スタンフォードテストとGates-McGinitie読解力テストを使って測定した読解力を予測することができたということです。また読めるグループはASLへのアクセスの時期（平均4歳）が、読めないグループ（平均7歳）に比べて早かったということから、言語によるインターアクションの早期アクセスの重要性を強調しています。Chamberlain and Mayberryは、ASLと英語というモダリティの違いにも関わらず、読みの言語的基盤として手話が「役立つ」という結論を出しています。またろう児が読みを獲得する上で、聴児とは異なったユニークなプロセスを辿るようだと言っています。ろう児は、本やその他の印刷物との関わりを持つことによって、このプロセスを自分で発見していくのだと言うのです。

スペインのカタロニアの23歳から27歳までのろう者15名を対象にしたMenéndez (2010) の研究でも、手話と書記言語の相互依存的関係が報告されています。このろう者たちは、カタラン語、スペイン語、英語の書記言語を習得するために、カタラン手話をサポートとして使っているバイリンガル学校の子どもたちです。Menéndezの研究では、カタランの手話とカタラン語の書記言語の語彙、形態論、統語論上の接点を明らかにするために、対照言語学の手法を使って分析しています。その結果、広範囲にわたる言語間のプラスの転移の証拠が得られたとして、次のように結論づけています。

> われわれの研究で得られた実証的データは、手話から書記言語への語彙、形態、統語レベルの転移を示している。さらに先行研究で触れた他の研究では、語用レベル（物語の構造、ナラティブ、結束構造）の転移が報告されている。(p.218)

Hermans, Ormel, and Knoors（2010）でも、同じような結論を示した多くのオランダの研究について触れています。たとえばHermans, Knoors, Ormel, and Verhoeven（2008）では、8～12歳までのバイリンガルプログラムのろう児87名を対象にした調査で、年齢、短期記憶、ノンバーバル知能などを統計的にコントロールすると、オランダ手話（SLN）と読みの語彙との間に非常に高い相関が見られたと言っています。同じく、8～12歳のバイリンガルプログラムのろう児62名を対象にしたOrmel（2008）でも、年齢要因をコントロールすると、オランダ語の話しことばの受容面の語彙とオランダ手話のそれとの間に極めて高い相関関係が見られたそうです。Hermans et al.（2010）は、さらにこの研究の検証を行い、オランダ語の音声言語の表出面の語彙や形態・統語上のスキルとオランダ手話（SLN）の間に高い相関が年長児（8～10歳）には見られたが、年少児（5～7歳）にはそのような相関は見られなかったと言っています。年少児には相関関係が見られかったことについて、Hermans et alはろう児のオランダ手話の力が未発達であるため、転移が起こるような状態ではなかったからではないかと解釈しています。

以上をまとめると、これまでの研究では、ろう児のASLと英語の読みと書きの力との間に一貫した正の関係が見られるということです。したがって、相互依存仮説は、二つの音声言語と同じように、ASL（視覚言語）と英語（音声言語）の間にも適応できるということです。手話と書記言語の間の転移は、語彙、形態論、統語論、誤用論上で報告されています（たとえば, Menéndez 2010; Padden and Ramsey 1998）。したがって、正の相関関係が見られるのは、概念的要素（概念知識の世界）の言語間の転移、メタ認知・メタ言語的要素の転移、そして言語的要素（例：指文字、頭文字語）と言えます。もちろん本節の焦点はASLと英語の「リテラシー」との関係ですが、スカンディナビアの研究では、人工内耳の手術を受けたろう児の手話の使用量と「音声言語の表出」(speech production) の間にも相関関係が見られたということです。このことは注目に値します (Preisler & Ahlström 1997; Preisler, Tvingstedt and Ahlström 2002)。なぜなら、ASLの習得が人工内耳ろう児の英語の音声言語の習得やリテラシーの伸びを妨げるという心配をサポートする証拠は、何もないということを意味するからです。

以上の実証的研究の概観で、Mayer and Wells（1996）が提唱している相互依存仮説批判がいかに的のはずれたものであるかが明らかになったのではないでしょうか。次節で、相互依存仮説に対する批判をとりあげてみましょう。

3. 相互依存仮説をろう児に適用することに対する Mayer & Wellsの批判

Mayer and Wells(1996)とMayer and Akamatsu(1999)は、ヴィゴツキー(1978)の「内言」という概念に基づいて、手話と音声言語・書記言語は構造もモダリティも大きく異なるため、相互依存仮説を適用することは不可能だという理論的な主張をしています。聴児は内言を仲介として、音声言語の知識を土台に読みの力が習得できるが、ろう児の場合は、第一言語(例:ASL)が音声言語も書記言語も持っていないため、「内言」がリテラシーの獲得の仲介役を果たすことは不可能だと言うのです。Mayer & Wellsは、音声言語を手話で表現した手指言語こそが、ろう児が読む(そして書く)力を習得する上でもっとも大事な仲介役になると言っています。これに応えて、Mason (1997) は、Mayer & Wells (1996)が実証的研究に裏づけされた理論ではないという指摘をしています。その後多くの研究が蓄積されましたが、いずれも明らかにMayer & Wellsの議論に反駁するものです。たとえば、Menéndez (2010) は、研究の結果得られた実証的データについて、Mayer & Wellsに反対する立場から次のような解釈をしています。

> モダリティの違いによってすべての転移の可能性を否定するMayerの理論的枠組みが、転移が起こるためには口話・聴覚のルート (oral/aural pathway) が必要だという間違った前提に基づいているということを示唆する実証的データが得られた。従って本研究では、カミンズの相互依存説が、手話によるバイリンガル教育にも正しく適用されるものとして支持されたということである。(p.218)

Hermans et al. (2010) も同じように相互依存仮説の適用性について言及しています。Hermansたちは、言語間の転移を自動的に起こるもの

（automatic）と啓発されて起こるもの（cultivated）との二つに区分し、「自動的転移は、概念的な知識や認知面に限定されるが（中略）、書記言語の習得では、ろう児の手話知識を活用することによってその習得が促進される」（p.194）と言うのです。そして「啓発されて起こる転移」という概念について、次のような説明をしています。

> 言語診療士やバイリンガルプログラムの教師は、よくオランダ語の手話（SLN）の知識を活用してオランダ語の書記言語や音声言語を教える。ろう児がSLNに堪能であればあるほど、効率よく教えることができる。その結果、手話力（語彙や形態素・統語知識）の高いろう児は、平均あるいは平均より低いろう児と比べて、啓発されて起こる転移の恩恵をより享受するということになる。（p.195）

Hermans et al.（2010）は、異言語間でも自動的な転移と啓発的な転移があることを明らかに支持しています。ここで注意すべきことは、Hermans et al.（2010）が相互依存仮説（そして共有基底言語能力）が自動的転移にのみ当てはまるもので、啓発的転移は相互依存仮説の枠外のものとしている点です。これは事実に反します。言語間の転移を促進する指導の重要性については、つねにカミンズ（Cummins 2000; 2007）が認めて奨励していることです。ただ、そのような啓発されて起こる言語間（Lx と Ly）の転移が「接触量が十分で（学校やその他の環境）、適切な動機づけがある場合に起こる」（1981, p.29、本書第 2 章 p.78）という相互依存仮説の正式な定義には含まれていなかったのは確かです。ただ、学校における目標言語への接触というのは、理想的には言語間の共通点や相違点に学習者の注意を引く指導（つまり、転移のための指導）を含みます。啓発的転移（つまり、転移のための指導）の重要性を強調するのは役に立ちますが、自動的転移と啓発的転移との区別を厳密にすることはあまり利点がないと思います。

厳密な区別よりは、連続体とする方が適切でしょう。したがって、概念知識（たとえば、光合成という概念に対する理解など）は、文法構造よりは自動的な転移が起こりやすいでしょうが、概念知識も文法的知識も、両言語の関係に学習者の注意を引く、適切な指導によって転移がより促進されることは確かです。

Hermans et al.（2010）は、語彙知識を転移のある共有基底言語能力の一部と見なさず、言語の「表層面」の一部としています。これも問題です。その理由は簡単で、語彙知識が概念知識とともに教科学習言語能力の中核を成すものだからです。語彙は読解力と非常に高い相関関係を持ち、因子分析では、両者が同じ因子に属するのが普通です。

自然手話と主要言語の音声・書記言語によるバイリンガル教育はろう児にとってどのぐらい有利か

ろう児のためのバイリンガルプログラムは現在多くの国で実施されていますが（たとえば Mayer & Leigh 2010; Small and Mason 2007 を参照）、体系的な評価研究は非常に少ないのです。バイリンガルプログラムで最も詳しく記述されているのは、1980 年代初期から実践されて来たスウェーデンの取り組みです（Bagga-Gupta 2004; Svartholm 2010）。したがって、本節のろう児のためのバイリンガルプログラムについての議論は、Bagga-Gupta と Svartholm が詳しく書いた、スウェーデンの経験に焦点を当てたものです。

Svartholm（2010）は、1981 年に「スウェーデンの議会でろう者はバイリンガルである必要がある。特に、スウェーデンのろう者は、ろう者グループまたスウェーデン社会で機能するために、手話と同時にスウェーデン語も必要とする（Proposition 1989/1981）」（p.159）という法律が成立したと言っています。自然手話が正統的な言語であることを国として正式に認めた世界で初めての例です。

しかし、その後スウェーデンのろう児と難聴児のための特別支援学校で導入されたバイリンガル教授アプローチの成果は、まちまちです（たとえば Mayer and Leigh 2010 参照）。「特別支援学校の卒業生の中でスウェーデン語の力が強いろう児の数が徐々に増えているという 1990 年代の教師のインフォーマルなレポート」（p.166）と呼応すると Svartholm は述べていますが、2008 年の全国のデータを見ると、普通の学校のスウェーデン語を第一言語とする聴児と比べて、特別支援学校のろう児・難聴児のスウェーデン語、算数、英語の合格率は極めて低かったという結果が出ています（スウェーデン語 97% 対 69%、算数 93% 対 55%、英語 94% 対 59%）。Svartholm はこのような数字には気をつける必要があると言っています。なぜなら特別支援学校の子どもの多くは、重複障害から生じる学習困難と音声言語へのアクセスを欠くと言う問題が重なっていると言えるし、その上にこのような特別支援学校には、移民の背景を持ったろう児の数が多く（25%）、その 3 分の 1 は、7 ～ 10 年生になって編入してきたろう児だったそうです（32%）。

Svartholm（2010）は、バイリンガル教育を受けたろう児と聴児の間には、確かに学力の差はあっても、国際的に見ると、この結果は決して悪い方ではないと言っています。そして Marschark, Lang, and Albertini（2002, p.157）を引用して「高校を卒業する 18 歳の時点でろう児の読みの力は、平均して 4 ～ 6 年生の力しかないのが普通」だと言っています。同じように Thoutenhoofd（2010）もスコットランドの全国統計資料をもとに、「15 歳から 17 歳の人工内耳手術を受けた生徒の読みの力は、学年レベルより平均 4 ～ 5 年遅れている」（p.215）という指摘をしています。

したがって、親が選択できる早期介入アプローチは、ほとんど手話との接触のないまま、口話だけを伸ばすということに重点が置かれている。Leighの観察では、このような状況での手話コミュニケーションは、介入が「不本意な結果に終わった」ときだけ導入される。つまり、手話(または話しことばのサポートとしての何らかの手話コミュニケーション)が子どもの言語環境の一部に入ってくるのは、明らかに口話や音声言語の習得がうまく伸びなかったときである。このようなアプローチは、第一言語であるべき手話へのアクセスを遅らせてしまうために、ろう児の言語への、適切な時期での適切なインプットを奪ってしまうことになるのである。

Bagga-Gupta (2004) は、スウェーデンのバイリンガル教育の成果が期待されるところまで行っていないことに対して、さらに次のような理由をあげています。スウェーデンのバイリンガルプログラムの前提となっている概念の中に、問題になる概念が含まれているというのです。その中には、(a)スウェーデン語の書記言語（たとえば、読みの指導）の指導を６～７歳まで、つまりスウェーデン手話がしっかり確立するまで、遅らせるべきだということ、(b)二言語は指導上はっきり区別されるべきだということ、(c)スウェーデン語教育は対照分析に基づく明示的な文法アプローチで行われるべきだ、という３つの考えが入っています。(b)の前提について、Svartholm (2010) は次のような説明をしています。

もう一つ大事な前提になっている考えは、指導上、手話と書記スウェーデン語をはっきり区別することの重要性である。スウェーデン手話と書記スウェーデン語では、基本的に構造も表現も大きく異なるため、指導の中で、両者をスイッチすることは、スウェーデン語の習得を不可能とまでは行かないが、困難にする可能性が大きい。

Bagga-Gupta は、これらの前提が、バイリンガリズム研究やバイリンガル教育でも、ろう児のバイリンガリズムという特殊な領域でも、また音声言語・書記言語を含む一般的な領域でも、支持されているものではないという指摘をしています。文法構造の比較対照を含むスウェーデン語の教授アプローチは、スウェーデン語の導入を遅らせるという考えと相まって、幼児期に表現内容（そして子ども自身の経験）よりも言語形式に不当な重点をおく結果となっているというのです。またこのような指導上のイデオロギーには、Garcia（2008）が提唱するトランスランゲージング（translanguaging）、つまり、バイリンガルやマルチリンガルがさまざまな状況に対応するために持っている言語リソースをフルに活用して（たとえば、コードスイッチングなど）、効果的なコミュニケーションをするという現実が反映されていません。Bagga-Guptaは、ろうコミュニティのメンバーは、多種多様な言語能力を持ち、さまざまなテクノロジーを使って聴者、またろう者である友人や同僚とコミュニケーションをとるものだと言っています（たとえば、TTY、電子メールやその他の社会的メディア、ファクス、紙と鉛筆など）。

スウェーデン語の読み書きの導入を遅らせるということも実証的なサポートが得られているわけではありません。Bagga-Guptaは、スウェーデンのバイリンガル教育に対して異なったイデオロギーを持つ研究者（たとえば、Söderberg）に言及し、就学前教育の一環としてバイリンガルのろう児がスウェーデン語の読みを獲得する力を記述し、ろう児（および聴の幼児）に体系的に読み書きを教えること、また同時に遊びを通して読み書きを導入することの重要性に触れています。

要するに、Bagga-Guptaが強調していることは、もし適切な教授アプローチが導入されていれば、スウェーデンのろう児・難聴児のバイリンガルプログラムは、より高い学力を達成できたのではないかということです。本書で述べてきた理論的背景から見てもBagga-Guptaの議論は説得力のあるものです。まず第一に、書きことばへの接触を遅らせるということに対する実証的なサポートは全くありません。事実、聴児の間では（第4章参照）本などの印刷物へのアクセスやリテラシーへの関わり度によって読みの力の伸びを予測することができます。ろう児や難聴児の場合は、そのようなことが期待できないということはまず考えられないのです。第二に、第2章で論じたように、二つの言語を切り離して教える「二つの孤独」（p.81参照）というバイリンガル教育モデルは、相互依存仮説と矛盾するものです。なぜなら二つの言語を切り離して使わなければならない状況では、言語間の転移を促進するのが困難だからです。自然手話は、明らかに音声言語/書記言語とは大きく異なりますが、だからこそ Hermans, Ormel & Knoors（2010）が提唱する「啓発されて起こる転移」（cultivated transfer）を通して言語間の関係に注意を引くことが重要なのです。第三は、言語に対する気づきを高め、二つの言語を比較対照した指導は正統的な教授ストラテジーではありますが、対照文法に焦点を当てた初期の授業は、狭い知識授与型（transmission approach）のアプローチであり、思考力を伸ばし、アイデンティティを高め、力を創造するような言語使用ではありません。この点については次節で詳しく述べることにします。

4. ろう児・難聴児の指導上優先的に考えるべきことは何か

これまでのろう児・難聴児教育では、どの言語を使って教えるのがもっとも正統的であるかを中心に議論が展開されてきました。(a) 口話だけを使って教えるべきか、(b)音声 / 書記言語の手話バージョン（つまり、手指英語、手指日本語）を使って教えるべきか、(c)バイリンガル教育という枠組みの中で自然手話と音声 / 書記言語の組み合わせで教えるべきか、という議論です。しかし、関心があまり向けられて来なかったのが「教授法」です。各教科のカリキュラムと同様に、リテラシーやニューメラシー（numeracy, 数に関する基礎知識）を高度に伸ばす効果的な指導のあり方とはどのようなものでしょうか。第４章では、一般のマイノリティグループの児童・生徒を対象に、この課題について考え、効果的な指導上の枠組みをいくつか提示しました。それぞれ異なっていますが、互いに補完的な視点を与えるもので、どの枠組みもマイノリティグループの児童・生徒の低学力の元凶が社会の抑圧的な力関係にあることを強調しています。この一般社会の力関係が学校教育のあり方にも、また児童・生徒（またはコミュニティ）が経験するアイデンティティの交渉のパターンにも、明らかに反映されているのです。したがって、どのような教授アプローチでも核になるのは、マイノリティグループの子どもの学力を高めるために彼らのアイデンティティを肯定することです。本節では、第３章の図７に提示したリテラシー獲得の教育的枠組み（図 10 参照。図 10 は図７と同じもの）を使って、ろう児・難聴児のための効果的な指導のあり方の基本について考えてみましょう。

第３章で述べたように、印刷物へのアクセスとリテラシーへの関わり度は、同じ概念の中の二つの構成要素です。印刷物へのアクセスがリテラシーへの関わりを保証するわけではありませんが、印刷物へのアクセスなくしてリテラシーへの関わりは起こりません。明らかに多くのろう児の最大の

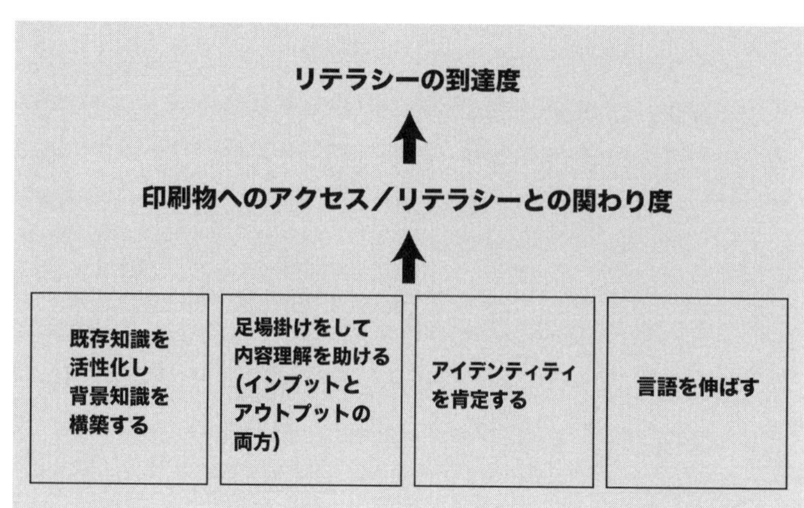

図 10　マルチリンガル環境におけるリテラシー獲得の教育的枠組み

問題は、聴者の親がろう児と共有する言語を持たず、そのためにお互いの意思疎通、とくに家庭での本を巡ってのやり取りに限界があることです。同じように学校でも、「言語」そのものを教えることに関心が集中するあまり、リテラシーへの関わり度を高めることを怠りがちだということです。

第 3 章と第 4 章で、印刷物へのアクセスとリテラシーへの関わり度がリテラシー到達度の決め手になる中心的な要因だという実証的根拠について述べました（例：Krashen 2004; Lindsay 2010)。一連の PISA の研究によると、たとえば 15 歳児の、読みの関わり度と読みの到達度とには強い相関関係が見られるそうです（たとえば、OECD 2004)。つい最近の PISA の調査結果でもこの傾向が確認されています（OECD 2010a; 2010b; 2010c)。読みの関わり度は、さまざまな読み物を読む時間、読むことに対する嗜好、さまざまな学習ストラテジーの使用などによって測定し、評価したものです。OECD 諸国全体を通じて、読みの力と社会経済的背景との関係のほぼ 3 分の 1 が読みとの関わり度によって説明できると言っています。ということは、学校で子どもたちに豊かな印刷物へのアクセスを与え、リテラシーに積極的に関わるようにすることによって、社会経済的に不利な立場にあることから来るマイナスの影響を大きく減らすことができるということを意味します。

日本のろうコミュニティのメンバーふたりに個人的に聞いた話ですが（個人的コミュニケーション、2011年2月）、リテラシーとの関わり度の重要性を再確認する結果になりました。ふたりとも高度な教育を受けることに成功した例ですが、ひとりは学校教師が教室で彼をどう扱っていいか分からないため学校の図書室に行かされ、そこで彼はひとりで読みの力を身につけたそうです。そして、その学年の終わりには熱心な読み手になり、それが学齢期の間ずっと続いたということです。もうひとりは、当時地域の貸本屋で5円払えば本が借りられたということで読書に浸り、彼が読める本はすべて読み尽くしたということです。ふたりとも自分たちの成功の原因は、学齢期の早いうちから読むことを自分で覚え、学齢期を通じてずっと本に浸って過ごしたことだと言っていました。

ろう児も（聴の子どもと同じように）本や物語の世界に幼少のころから浸る必要があるということを親や教師が認識するべきでしょう。理想的には、このように読みの世界に浸ることは、自然手話でサポートされ、手話文学に焦点を当てたものが理想的ですが（Snoddon 2008）、ただろう児を書き言葉に浸らせて子どもの注意を単語とテキストの中の挿絵と結びつけるというだけでも大きな意味があるようです。本書で取り上げた研究は、どれもバイリンガルの発達上、二言語が互いに助け合うこと、双方向の転移を目指すことが最も効果的な教授ストラテジーであることを示唆しています。ということは、家庭でもまた就学前の教育機関でも、サポートがしっかりなされ、本に浸ることを通して書記コードの解読が奨励されるべきだということを意味しています。

この視点は、スウェーデンで導入されたバイリンガル教育アプローチへの疑問につながっていきます（Svartholm 2010）。6歳、7歳までスウェーデン語に触れることを遅らせることは（言語の文法面に焦点を当てるという問題とともに）、書きことばの解明に向けての子どもの気づきや感受性を伸ばす絶好のチャンスを奪うということになるからです。

既存知識・背景知識の活性化

この原則は、既知情報と新情報を関連づけることができるように、子どもたちの既存知識の活性化が必要不可欠だということです。多くのろう児にとって問題なのは、経験を通して新知識を獲得する上で、言語が主たるツールだということです。就学前に成人とのコミュニケーションが限られている場合は、概念知識の伸び（自分の周囲の世界に関するさまざまな知識）も限られます。このことからも、幼少期からコミュニケーションがとれる言語へのアクセスが、豊かな経験を積み上げていく上でいかに重要かが分かります。

足場がかりを与えて意味の理解を助ける

足場がかりを与えて意味の理解を助けるという支援ストラテジーは、聴の児童・生徒と同じように、ろう児の教育でも同じ働きをします。視覚教材の使用、デモンストレーション、ドラマ化、意味を動作で示す、書き言葉の語彙や文法構造を手話で説明する、など幼児期、学齢期すべてを通じて一様に大事なことです。Snoddon（2008）は、米国のユタ州で Watkins, Pittman, Walden（1998）が行った研究を引用して、言語発達の足場がかりとしての自然手話の役割の重要性を強調しています。Watkins らの研究は、成人のろう者が定期的にろう児がいる家庭を訪問して ASL の知識とろう文化をシェアし、子どものロールモデルになるという「ろうメンターシステム」の取り組みについて、3年間研究したものです。口話法の英語手指言語サービスを主に受けてきたテネシー州のコントロールグループと比較した結果、ASLへの接触が長年あったユタ州のろう児の方が、ASLとの接触がなかったテネシー州のろう児よりも、英語の文法や語彙の知識が優れていたということです。

アイデンティティの肯定

Watkinsら（1998）の研究成果も、積極的な成人ろう者のロールモデルとの接触を通して、ろう児自身が自分を肯定的に捉えることの重要性を再認識したものと言えます。最近では、カナダのオンタリオ州のドゥルーリーろう学校（E.C. Drury School for the Deaf）でSnoddon（2010）が行った研究を通して、アイデンティティの肯定とリテラシーとの関わり度をどのように統合できるかが示されています（www.multiliteracies.ca/index.php/folio/viewProject/99参照のこと）。バイリンガル・バイカルチュラルモデルのこの学校では、国語科に相当するASL Language Artsという教科がそのカリキュラムの中にあります。Snoddonは、小学校2年生（7歳）、3年生（8歳）、5年生（10歳）を対象に、ASLアイデンティティ・テキスト（第3章p.107-108）を試みたのです。ふたりのろうのストーリー・テラー（story teller）を1週間以上学校に招き、このふたりは、それぞれの教室で自分の学校体験やろう文化に関するさまざまなこと（たとえば、名前手話、スポーツとの関わりなど）についてプレゼンテーションをしたのです。

最初の週に、ASLのストーリー・テラーが各教室を訪問しました。それを学校のカメラで記録し、翌日教師と児童がモニターでもう一度見たのです。第2週目は、ろう児たちがアイデンティティ・テキストを作ってクラスメイトとシェアし、今度はろう児たちのストーリーをビデオに撮って、皆で見ながら編集しました。そして最終版をまたクラスで披露したのです。

Snoddon（2010）は、ろうのストーリー・テラーによるモデルを踏まえて、自分たちのアイデンティティ・テキストを創り出すプロセスで、ろう児たちがどのようにエンパワーされたかということについて、次のように述べています。

> このプロジェクトで可能になった状況——たとえば、年長の成人のろうのストーリー・テラーが教室にいること、ろう文化と言語アイデンティティについて教師主導のディスカッションやASLのストーリー作成プロセスを通しての教師の指導など——これらが、子どもたちが自分のストーリーに対してアイデンティティの投資をし、深い認知的関わりを持つことを可能にしたのである。(p.210)

注目すべきことは、アイデンティティ・テキストのプロジェクトが、リテラシーとの関わり度の枠組みの構成要素のすべてを含むという点です。明らかにリテラシーとの関わりを含みますし、アイデンティティ・テキストの創作には教師によるさまざまな形の支援が含まれています。またろう児の既存知識・背景知識が教室の中で見事に表現を与えられていますし、次の節で述べるように、テキストの正確度を高め、より聴衆にアピールするように推敲する過程で明らかに言語形式への関心も高められているのです。

Snoddonが取り組んだASLのアイデンティティ・テキストのプロジェクトをさらに意味のある形で拡張をするとしたら、ろう児たちが（教師のサポートを得て）英語版のストーリーを作成、ASL版と英語版とを合わせて、興味を持って読んでくれる読み手の層を広げるために、学校のウェブサイトやろう教育関係やろうコミュニティのウェブページ（たとえばwww.deafplanet.com/en/deafplanet/）に掲載することでしょう。手話版をもとに、社会の主要言語版を創作することは、二言語の共通点と相違点に対するろう児の関心を高め、言語間の転移を促進することにもなるはずです。この点はカナダのトロント市にあるDeaf Culture Centre（www.deafculturecentre.ca）ですでに実践されていることです。センターの4カ国語（ASL, ケベック手話［LSQ］, 英語, フランス語）のウエッブサイトには、すでにASLアイデンティティ・テキスト（例：詩や物語）がいくつも掲載されています。また紙媒体・電子媒体（例：DVD）で出版されたものもあります。

言語を伸ばす

第3章、第4章で述べたように、教科学習言語は複雑であり、理想的にはリテラシーの力をしっかり伸ばすためにカリキュラム全体を通じて教科学習言語が培われるべきものです。このためには、言語がどのように機能するかということに対してろう児の関心を引く明示的な指導が必要です。たとえば、Snoddon（2010）は、言語の明示的指導の役割について、アイデンティティ・テキストのプロジェクトの中でも、「ストーリー・テラー訪問のビデオを見ながら、教師はオンタリオ州の昔の ASL の語彙について説明を加えたり、ストーリー・テラーのコメントの意味について説明したりした」（p.208-209）と言っています。またバイリンガル指導ストラテジーを用いて転移を促進することの重要性を強調する研究者もいます。たとえば、Padden & Ramsey（1998）も Hermans et al.（2010）も、手話と音声/書記言語の間でスキルや知識の転移を促進するために、子どもたちの力を養うことが大事だと言っています。

要するに、リテラシーとの関わり度の枠組みは、マイノリティグループや疎外された子どもに適応できるのと同じように、ろう児・難聴児の教育にも適応できるものです。またバイリンガル指導ストラテジーは、リテラシーとの関わり度の教育的枠組みのすべての構成要素において、リテラシーを伸ばすのに役立つ教授上のツールなのです。手話と書記言語の両方でリテラシーを促進することの意味は、単なる言語コードや弁別的言語スキル（たとえば、スペリング／手指文字、文法など）に焦点を当てた指導だけでは不十分であり、思考を刺激し、教師、親、仲間とのディスカッションのためにさまざまなテキストを読むこと、またろう児が持っている力をさまざまな読み手に広く披露することができるアイデンティティ・テキストの創作などを通して、リテラシーと力強く関わる必要があるのです。

5. 結論

本章では、ろう児・難聴児の教育をケーススタディとして、本書でこれまで述べてきた理論的原則や枠組みが、ろう教育研究の実証的データの説明として適切であるかどうか、またより多くのろう児・難聴児が学校教育で成功をおさめる教育的取り組みにおいて、有用であるかどうかという観点から検討してきました。研究データは、明らかに抑圧的な力関係が働いていること（言語心理学、また／あるいは、神経言語学の用語で正統化はされていますが）、またろう児の第一言語へのアクセスが否定されていることを示しています。子どもの一生に関わる大事な意思決定をする成人の中に、聴の専門家の数が圧倒的に多いことも、抑圧的な権力構造の現れと言えます。

自然手話と音声 / 書記言語のろう児の力には強い相関関係があるという実証的データによって相互依存説は支持されています。モダリティが異なるため自然手話と音声 / 書記言語の転移は不可能、そのためろう児が読みの力を効果的に獲得するためには、音声言語を手話で表現した手指言語の仲介がなければ無理だとする議論（Mayer & Wells 1996）は、全く支持されていません。同じように、実証的研究の数は限られていますが、人工内耳手術を受けたろう児の二言語の伸び（たとえばASLと英語）も、これまで得られたデータでは支持されています。人工内耳の子どもを対象としたスウェーデンの研究（Preisler et al. 2002）によると、スウェーデン手話が流暢に使える子どもの方が、手話が使えない子どもよりも、発話（speech production）がより優れていたということです。手話の習得がろう児の話し言葉を獲得する上で害になるという、一部の聴覚学者や聴覚・言語治療（AVT）関係者の主張は、完全に誤った考えであり、これまでサポートされて来なかった分離基底能力モデルに基づくバイリンガリズムと言えるでしょう（Snoddon 2008）。

ろう児・難聴児のためのバイリンガル・バイカルチュラルプログラムの導入は、世界各地で増える一方ですが（たとえば、カナダや日本）、まだ少数の子どもにしかその恩恵が与えられていません。いまだに多くの教育者や教育行政が懐疑的な目で見ているという状況なのです。スウェーデンのプログラム評価によると、バイリンガル・バイカルチュラルプログラムの結果は一様ではなく、口話法のときよりはろう児の成績が上がってはいるものの、国全体のレベルと比較するとまだ低いということです（Bagga-Gupta 2004; Svartholm 2010）。Bagga-Guptaは、もし子どもたちが書記スウェーデン語により早い時期に接触することが可能で、二言語分離の指導方針ではなく、二言語を統合したバイリンガル指導ストラテジーを採用し、文法指導中心でなく体験的アプローチをとっていたのなら、結果はずっと改善されていたのではないかと言っています。このような提言は、リテラシーとの関わり度の枠組みの教育的あり方の基本方針と一致するものです。

次に「有用性」についてですが、リテラシーとの関わり度の枠組みは、幼少期から家庭と就学前の教育機関でどのようにしたらリテラシーとの関わり度を増やせるか（手話と書記言語の両方）、また初等教育、高等教育を通じてどのように多読（そして多書も）への動機づけが可能かなどについて、教師や教育政策に関わる行政の間でさまざまな議論をするのに役立つ可能性を持っています。またアイデンティティ・テキスト（手話と書記言語）や新しいテクノロジーの活用が（たとえば、姉妹クラス間の交流、ウェブ上での創作作品の公開など）、ろう児が人に伝えるだけの大事なアイディアを持った存在であり、現在生きている周囲の社会に重要な貢献ができる人間であるという、ろう児のアイデンティティの肯定で大きな役割をするのです。

引用文献

Allen, T. E. (1986). Patterns of academic achievement among hearing impaired students: 1974-1983. In A. N. Schildroth and M. A. Karchmer (Eds.) *Deaf children in America*. San Diego, CA. College Hill Press.

Bagga-Gupta, S. (2004). *Literacies and Deaf education: A theoretical analysis of the international and Swedish literature.* Forskning i Fokus nr. 23. Stockholm: The Swedish National Agency for School Improvement.

Chamberlain, C. & Mayberry, R. I. (2008). ASL syntactic and narrative comprehension in good and poor readers: Bilingual-bimodal evidence for the linguistic basis of reading. *Applied Psycholinguistics,* 29, 367-388.

Cummins, J. (1981). The role of primary language development in promoting educational success for language minority students. In California State Department of Education (Ed.), *Schooling and language minority students: A theoretical framework.* (pp.3-49). Los Angeles: Evaluation, Dissemination and Assessment Center, California State University.

Cummins, J. (2000). *Language, power, and pedagogy: Bilingual children in the crossfire.* Clevedon, England: Multilingual Matters.

Cummins, J. (2001). *Negotiating identities: Education for empowerment in a diverse society. 2nd Edition.* Los Angeles: California Association for Bilingual Education.

Cummins, J. (2007). Rethinking monolingual instructional strategies in multilingual classrooms. *The Canadian Journal of Applied Linguistics, 10,* 221-240.

Garcia, O. (2008). *Bilingual education in the 21st century. A global perspective.* Boston: Basil Blackwell.

Genesee, F., Lindholm-Leary, K., Saunders, W. M., Christian, D. (2006). *Educating English language learners.* New York: Cambridge University Press.

Fish, S., Hoffmeister, R. H., & Thrasher, M. (2005). Knowledge of rare vocabulary in ASL and its relationship to vocabulary knowledge in English in Deaf children. Paper presented to the IASCL conference, Berlin.

Gibson, H., Small, A., and Mason, D. (1997). Deaf bilingual bicultural education. In Cummins, J. and Corson, D. (Eds.) *Encyclopedia of language and education. Volume 5: Bilingual education*. (pp.231-240). Dordrecht, The Netherlands: Kluwer Academic Publishers.

Goldin-Meadow, S. & Mayberry, R. I. (2001). How do profoundly deaf children learn to read? *Learning Disabilities Research & Practice,* 16 (4), 222-229.

Grosjean, F. (2001). The right of the Deaf child to grow up bilingual. *Sign Language Studies,* 1(2), 110-114.

Hermans, D., Knoors, H., Ormel, E., & Verhoeven, L. (2008). The relationship between the reading and signing skills of deaf children in bilingual education programs. *Journal of Deaf Studies and Deaf Education, 13,* 518-530

Hermans, D., Ormel, E., & Knoors, H. (2010). On the relation between the signing and reading skills of deaf bilinguals. *International Journal of Bilingual Education and Bilingualism. 13*, 187-199

Hoffmeister, R., de Villiers, P., Engen, E., & Topol, D. (1998). English reading achievement and ASL skills in deaf students. *Proceedings of the 21st annual Boston University conference on language development.* Brookline, MA: Cascadilla Press.

Krashen, S. D. (2004). *The power of reading: Insights from the research.2nd edition.* Portsmouth, NH: Heinemann.

Kuntze, M. (1998). Literacy and deaf children: The language question. *Topics in Language Disorders, 18* (4), 1-15.

Lindsay, J. (2010). *Children's access to print material and education-related outcomes: Findings from a meta-analytic review.* Naperville, IL: Learning Point Associates.

Livingstone, S. (1983). Levels of development in the language of deaf children: ASL grammatical processes, Signed English structures, semantic features. *Sign Language Studies, 40*, 193-286.

Marschark, M., Lang, H. G. & Albertini. J. A. (2002). *Educating deaf children: From research to practice.* Oxford: Oxford University Press.

Mayberry, R. I. (2002). Cognitive development of deaf children: The interface of language and perception in neuropsychology. In S. J. Segalowitz, & I. Rapin (Eds.), *Handbook of neuropsychology,* Part II (Vol. 8, 2nd ed., pp.71–107). Amsterdam: Elsevier.

Mayberry, R. I. & Lock, E. (2003). Age constraints on first versus second language acquisition: Evidence for linguistic plasticity and epigenesis. *Brain and Language*, 87, 369-384.

Mayer, C & Akamatsu, T.C. (1999) Bilingual-bicultural models of literacy education for deaf students. Considering the claims. *Journal of Deaf Studies and Deaf Education*. 4. 1-8.

Mayer, C. & Wells, G. (1996). Can the linguistic interdependence theory support a bilingual bicultural model of literacy education for deaf students? *Journal of Deaf Studies and Deaf Education. 1*, 93-107.

Mayer, C. & Leigh, G. (2010). The changing context for sign bilingual education programs: issues in language and the development of literacy. *International Journal of Bilingual Education and Bilingualism,13*: 175-186.

Menéndez, B. (2010). Cross-modal bilingualism: language contact as evidence of linguistic transfer in sign bilingual education. *International Journal of Bilingual Education and Bilingualism, 13,* 201-223.

Nelson, K. E. (1998). Toward a differentiated account of facilitators of literacy development and ASL in Deaf children. *Topics in Language Disorders, 18* (4), 73-88.

Niederberger, N. (2008). Does the knowledge of a natural sign language facilitate Deaf children's learning to read and write? Insights from French Sign Language and written French data. In C. Plaza Pust and E. Moralez-Lopez (Eds.), *Sign bilingualism: Language development, interaction, and maintenance in sign language contact situations* (pp.39-50). Amsterdam and Philadelphia, PA: John Benjamins.

Niederberger, N., & Prinz, P. (2005). La connaissance d'une langue des signes peut-elle faciliter l'apprentissage de l'écrit chez l'enfant sourd? (Does the knowledge of a natural sign language facilitate deaf children's learning to read and write?). *Enfance*, 4, 285-297.

OECD (2010a). *PISA 2009 results: Overcoming social background – Equity in learning opportunities and outcomes (Volume II)*. Paris: OECD. Retrieved from http://dx.doi.org/10.1787/9789264091504-en

OECD (2010b). *Closing the gap for immigrant students: Policies, practice and performance. OECD Reviews of Migrant Education*. Paris: OECD.

OECD (2010c). *Strong performers and successful reformers in education: Lessons from PISA for the United States*. Paris: OECD. Retrieved from http://dx.doi.org/10.1787/9789264096660-en

Ormel, E. (2008). *Visual word recognition in bilingual deaf children*. Unpublished doctoral dissertation, University of Nijmegen, The Netherlands.

Padden, C. & Ramsey, C. (1998). Reading ability in signing deaf children. *Topics in Language Disorders*, 18, 30-46.

Preisler, G., & Ahlström M. (1997). Sign language for hard of hearing children: A hindrance or a benefit for their development? *European Journal of Psychology of Education,* 12, 465–477.

Preisler, G., Tvingstedt, A., and Ahlström, M. (2002). A psychosocial follow-up study of deaf preschool children using cochlear implants. *Child Care, Health & Development, 28*, 403-418.

Prinz, P. (1998). Foreword. *Topics in Language Disorders, 18* (4), v-vii.

Prinz, P. & Strong, M. (1998). ASL proficiency and English literacy within a bilingual deaf education model of instruction. *Topics in Language Disorders, 18* (4), 47-60.

Shultz Myers, S. & Fernandes, J. K. (2010). Deaf Studies: A critique of the predominant U.S. theoretical direction. *Journal of Deaf Studies and Deaf Education, 15* (1), 30-49.

Singleton, J. L., Morgan, D., DiGello, E., Wiles, J., & Rivers, R. (2004). Vocabulary use by low, moderate, and high ASL-proficient writers compared to hearing ESL and monolingual speakers. *Journal of Deaf Studies and Deaf Education, 9* (1), 86-103.

Singleton, J., Supalla, S., Litchfield, S., and Schley, S. (1998). From sign to word: considering modality constraints in ASL/English bilingual education. *Topics in Language Disorders, 18* (4), 16-30.

Small, A. & Mason, D. (2008). American Sign Language (ASL) bilingual bicultural education. In J. Cummins and N. H. Hornberger (Eds.), *Encyclopedia of language and education*, 2nd edn., Vol. 5: *Bilingual education* (pp.133–5). New York: Springer Science/Business Media LLC.

Snoddon, K. (2008). American Sign Language and early intervention. *The Canadian Modern*

Language Review, 64, 581-604.

Snoddon, K. (2010). Technology as a learning tool for ASL literacy. *Sign Language Studies, 10*, 197-213.

Strong, M. & Prinz, P. (1997). A study of the relationship between American Sign Language and English literacy. *Journal of Deaf Studies and Deaf Education, 2*, 37-46.

Svartholm, K. (2010). Bilingual education for deaf children in Sweden. *International Journal of Bilingual Education and Bilingualism, 13*, 159-174

Swanwick, R. (2010). Policy and practice in sign bilingual education: Development, challenges and directions. *International Journal of Bilingual Education and Bilingualism, 13*, 147-158.

Thoutenhoofd, E.D. (2010). Acting with attainment technologies in Deaf education: Reinventing monitoring as an intervention collaborator. *Sign Language Studies,* 10 (2), 214-230.

Watkins, S., Pittman, P., & Walden, B. (1998). The deaf mentor experimental project for young children who are deaf and their families. *American Annals of the Deaf,* 143 (1), 29–35.

索引

索引には、カミンズの教育理論に関連する用語を抽出し、掲載した。

な行

は行

ま行

や行

ら行

著者

Jim Cummins（ジム・カミンズ）
トロント大学オンタリオ教育大学院（Ontario Institute for Studies in Education/University of Toronto）名誉教授。Tier 1 Canada Research Chair（カナダ政府が学術研究推進のために選出するカナダ第一級の卓越した研究者）であり、バイリンガリズム・バイリンガル教育理論の世界的権威として大きな影響を与えてきた。近年は多言語環境で育つ言語マイノリティのアイデンティティの交渉、マルチリテラシー育成における学校教師の役割、テクノロジーの潜在的役割等に関する研究に取り組んでいる。
主著に *Negotiating identities: Education for empowerment in a diverse society*（第2版）（California Association for Bilingual Education, 2001）、*Language, Power and Pedagogy: Bilingual Children in the Crossfire*（Multilingual Matters, 2000）、*Rethinking the Education of Multilingual Learners: A Critical Analysis of Theoretical Concepts*（Multilingual Matters, 2021）、『新装版 カナダの継承語教育——多文化・多言語主義をめざして』（共訳著、明石書店、2020年）ほか多数。
ホームページ　http://home.oise.utoronto.ca/~jcummins/cummins.htm

訳著者

中島 和子（なかじま・かずこ）
トロント大学東アジア研究科名誉教授。カナダ日本語教育振興会名誉会長、母語・継承語・バイリンガル教育（MHB）学会名誉会長、バイリンガル・マルチリンガル子どもネット（BMCN）会長。
著書に『言葉と教育』（海外子女教育振興財団、1998年）、『バイリンガル教育の方法——12歳までに親と教師ができること』（完全改訂版、アルク、2010年）、『マルチリンガル教育への招待——言語資源としての外国人・日本人年少者』（編著、ひつじ書房、2010年）、『新装版 カナダの継承語教育——多文化・多言語主義をめざして』（共訳著、明石書店、2020年）ほか。

言語マイノリティを支える教育【新装版】

2021年9月11日　初版第１刷発行

著　者 ――――― ジム・カミンズ
著訳者 ――――― 中島和子
発行者 ――――― 大江道雅
発行所 ――――― 株式会社 明石書店
〒101-0021 東京都千代田区外神田6-9-5
TEL 03-5818-1171
FAX 03-5818-1174
振替 00100-7-24505
https://www.akashi.co.jp/
装丁 ―――――― 金子裕
印刷・製本 ―― モリモト印刷株式会社

Printed in Japan ISBN 978-4-7503-5256-5

新装版
カナダの継承語教育
多文化・多言語主義をめざして

ジム・カミンズ、マルセル・ダネシ［著］
中島和子、高垣俊之［訳］

◎A5判／上製／248頁　◎2,400円

多文化教育先進国カナダでは、移民が持ち込んだ言語や文化を教育の中にどのように取り入れようとしてきたか。バイリンガル研究の第一人者カミンズとダネシによる1990年の名著に、著者と訳者による過去30年の状況についての補論を追加した待望の新装版。

《内容構成》

第1章　イントロダクション――言語戦争
第2章　多文化のベールを取ると……
――カナダ人のアイデンティティの形成
第3章　アンビバレンスの容認――多文化主義から多言語主義へ
第4章　人的資源としての言語――継承語強化の根拠と研究
第5章　声の否定――カナダの学校教育におけるろう児の言語の抑圧
第6章　21世紀の多文化主義と多言語主義
――道を切り拓くか、遠くの星を眺めるだけか

付録資料　継承語プログラムの教育的効果
カナダの継承語教育その後――本書の解説にかえて［中島和子］
補章　1990年代以降のカナダの継承語教育――過去30年の進展
カナダ・オンタリオ州の「継承日本語教育」その後［中島和子］
カナダ継承語教育年表

〈価格は本体価格です〉